World History
세계사
Comics

Why?   일본

예림당

Why?
일본

2011년 9월 20일 1판 1쇄 발행
2012년 7월 10일 1판 7쇄 발행

회장 | 나춘호
펴낸이 | 나성훈
펴낸곳 | (주)예림당
등록 | 제4-161호
주소 | 서울특별시 강남구 삼성동 153
구매 문의 전화 | 예림M&B 561-9007
　　　　　팩스 | 예림M&B 562-9007
책 내용 문의 전화 | 3404-9238
홈쇼핑 문의 전화 | 3404-9286
http://www.yearim.kr
ISBN　978-89-302-0093-6　73910
ⓒ 2011 예림당 외

감수자 | **김선민**

고려대학교 사학과를 졸업하고 동대학원을 거쳐 일본 와세다대학 문학연구과에서 일본사를 전공했습니다. 현재는 숙명여자대학교 일본학과 교수로 재직 중이며, 일본 데츠카야마 학원대학 특임교수, 한국일본사학회 회장을 역임했습니다. 저서로는 〈동아시아 속에서의 고구려와 왜〉(공저) 〈황국사관의 통시대적 연구〉(공저) 〈아틀라스 일본사〉(공저) 등이 있습니다.

글쓴이 | **전재운**

학습 만화 기획 및 스토리 작가로 활동하고 있습니다. 〈과학 신대륙 네오아크〉 〈Fun Fun 과학-킬러〉 〈Why? 실험관찰〉 〈Why? 유전과 혈액형〉 〈Why? 고대 문명〉 〈마법천자문을 찾아라!〉 등의 만화를 써 왔고, 다양한 월간 잡지에 〈유물탐정단〉 〈우키리아의 알라볼〉 〈지구특공대 엑소시스터즈〉 등의 학습 만화를 연재했습니다.

그린이 | **최병국**

어린이들에게 꿈과 희망을 줄 수 있는 수준 높은 만화와 캐릭터를 그리고 있습니다. 그동안 그린 책으로는 〈큰바위 얼굴〉 〈만화 삼국유사〉 〈별자리 이야기〉 〈와우 잉글리시 시리즈〉 〈수학자가 들려주는 시리즈〉 〈Why? 교과서 시리즈〉 등이 있습니다.

| STAFF |

편집 상무 | 유인화
편집 이사 | 백광균
편집 | 연양흠/장효순 박효정 이나영 이연옥
　　　최혜원 김승현 문지연 최은송
사진 | 김창윤/이건무
디자인 | 이정애/손희재 이보배 김신애
　　　　이나연 강임희 진예리 최서원
국제업무 | 고은정/한민혜 장민경
홍보 | 박일성/김선미 이미영 이예원 김진영
제작 | 정병문/신상덕 곽종수 이기성
마케팅 | 예림M&B
특판팀 | 채청용/서우람 최순예

세계와 소통하는 글로벌 인재가 되자!

'역사는 되풀이된다' 라고 말합니다. 이는 곧 '역사는 오늘을 비추는 거울' 이라는 의미기도 합니다. 과거를 통해 현재의 우리의 모습을 볼 수 있으니까요. 우리가 역사를 배워야 하는 이유가 여기에 있지요.

흔히 지금의 세계를 글로벌 시대라 부릅니다. 세계는 이미 트위터나 페이스북 같은 SNS(Social Networking Service)를 통해 거미줄처럼 얽혀 있기 때문이죠. 덕분에 국경과 인종의 벽을 넘어 실시간으로 의견을 나누고 관심사를 공유하는 등 상호소통이 가능하게 되었습니다. 교통과 통신의 발달로 시간이 갈수록 이런 현상은 두드러질 것이고, 어린이 여러분이 사회의 중심이 될 무렵이면 언어의 장벽까지 해소되어 세계는 글자 그대로 '한마을' 처럼 변하게 될 것입니다. 소통은 상대를 잘 알 때 더욱 효과적이며 진정성을 띨 수 있습니다. 상대의 역사와 문화적 배경을 이해할 때 진정한 소통이 이뤄진다는 의미입니다.

〈Why? 세계사〉가 '시대별 세계사' 에 이어 '나라별 세계사' 로 이어집니다. '시대별 세계사' 는 인류의 탄생 이후 오늘날까지 시간을 축으로 삼아 세계의 역사를 조망했다면 '나라별 세계사' 는 멀게는 유럽이나 남미에서부터 가깝게는 중국과 일본 같은 이웃 나라에 이르기까지 세계 주요국들의 간단한 역사를 추리고 자연환경, 정치, 경제, 사회, 문화적인 면까지 종합적으로 다뤄 한 나라를 통째로 이해하는 데 역점을 두었습니다.

한 나라의 역사에는 빛나는 영광이나 가혹한 시련의 시간들이 교차합니다. 각 나라마다 때로는 영광을 누리고 시련을 극복하면서 오늘날에 이르게 된 것이죠. 그동안 막연하게 알고 있었거나 몰랐던 나라들에 대해 잘 알고 바르게 이해하는 계기가 되길 바랍니다. 아울러 '나라별 세계사' 를 통해 세계인과 자유롭게 소통하는 글로벌 인재가 되는 발판을 마련하고 세계를 향한 꿈을 키우기를 희망합니다.

CONTENTS

CHARACTER

미르

설록수 탐정의 조수를
자처하는 호기심 많은
소년. 아미와 함께
설록수 탐정을 도와
야마스카에 맞서 싸운다.

아미

태권도를 잘하는
씩씩한 소녀. 설록수,
미르와 함께 일본
역사를 망치려는
야마스카와 싸운다.

설록수

천재 탐정. 야마스카가
훔쳐간 유물을 되찾아
달라는 의뢰를 받았다.

와쑨

설록수가 만든 로봇.
아이들에게 일본에
관한 정보를 알려 준다.

가케루

야마스카가 만든
원숭이 로봇.

야마스카

시간 여행을 하면서
유물을 훔치는 사냥꾼.

일러두기

• 세계 역사에 대한 최근 학계의 의견을 충실히 반영하였습니다.
• 중학교 세계사 교육 과정과 연계하여 선행 학습에 도움이 되도록 하였습니다.
• 〈세계의 축제〉는 각 나라의 축제 및 기념일을 알아보는 꼭지입니다.
• 〈세계의 문화 유산〉은 유네스코에서 지정한 각 나라의 자연 유산 및 문화 유산을 알아보는 꼭지입니다.
• 〈세계사·한국사 비교하기〉는 우리 역사와 세계 역사를 한눈에 비교할 수 있도록 꾸며
  한국사와의 연계 학습을 가능하게 하였습니다.
• 〈찾아보기〉를 두어 주요하고 핵심적인 내용을 쉽게 찾도록 하였습니다.
• 이 책의 띄어쓰기와 맞춤법은 국립국어원의 표준국어대사전을 기준으로 하였습니다.

일본, 한눈에 살펴보기

우아, 얼음으로 조각을 했어!

히로시마 원자 폭탄 투하
1945년 8월 6일, 미국이 일본 히로시마에 원자 폭탄을 떨어뜨렸다.

긴카쿠지
무로마치 막부 때 아시카가 요시미쓰가 만든 교토에 있는 절이다.

규슈
면적은 42,149km²이고 아열대성 기후를 띤다. 후쿠오카, 가고시마, 구마모토, 미야자키, 나가사키, 오이타, 사가, 오키나와 등 8개 현으로 이루어져 있다.

시코쿠
섬 대부분이 산지로 면적은 18,292km²이다. 에히메, 가가와, 고치, 도쿠시마의 4개 현으로 이루어져 있다.

호류사
세계에서 가장 오래된 목조 건축물이며 세계 문화 유산이다.

홋카이도
행정 구역상 하나의 '도'로 이루어져 있고, 면적은 83,519㎢이다. 주요 도시로는 삿포로, 하코다테, 오타루 등이 있다.

온천 원숭이
일본 원숭이는 추운 겨울에 따뜻한 온천을 즐기면서 보내기도 한다.

삿포로 유키 마쓰리(눈 축제)
매년 홋카이도의 삿포로에서 열리는 눈 축제로 세계 3대 축제로 불린다.

혼슈
일본을 이루고 있는 4개의 주요 섬 중 가장 큰 섬으로 면적은 230,989㎢이다.

후지 산

가마쿠라 대불
가마쿠라 시 고토쿠인에 있는 대불로 높이 약 11미터이다.

오키나와
규슈 남쪽에서 타이완 동쪽까지 뻗어 있는 난세이 제도 중 큰 섬으로 이루어진 '현'이다. 태평양 전쟁 때 치열한 전투가 벌어지기도 했다.

오키나와

야마스카의 선전 포고

사건 의뢰서

일본 문화청
문화재 보호부

야압!!

탐정님!

아미야, 드디어
사건 의뢰가
들어왔어.

미르야,
무슨 일이야?

흐 아 암~

왜 이리 소란이야?

설록수 탐정님, 일어나세요!

깜짝

일본 문화재 보호부에서 사건 의뢰를 해 왔어요.

응?

헉!

아니, 이런!

사건 의뢰서

왜 그러세요?

무슨 사건인데요?

야마스카가 일본 유물들을 시대별로 전부 손에 넣겠다고 했대.

야마스카?

야마스카라면 세계적인 보물 사냥꾼이잖아요.

지난 번에 피카소 그림을 훔치려고 했던 것도 야마스카죠?

애 애 앵

크헤헤

일본의 보물은 모조리 내 차지야!

그래. 그런데 이번에는 일본의 과거로 가 보물을 훔치겠다고 했대.

과거로 간다고요?

야마스카가 타임머신을 개발한 모양이야.

타임머신 이요?

와쑨!

삐

삐

삐

뭐야, 그냥 강아지 로봇이잖아요.

귀엽긴 하네요.

지금 우리 와쑨을 무시하는 거야?

와쑨이 얼마나 대단한지 보여 주마. 와쑨, 일본에 대해 말해 주겠니?

일본은 아시아 동쪽에 있는 섬나라입니다.

삐삣

삐 이 잉

우아! 눈에서 빛이 나!

12

삐잇─

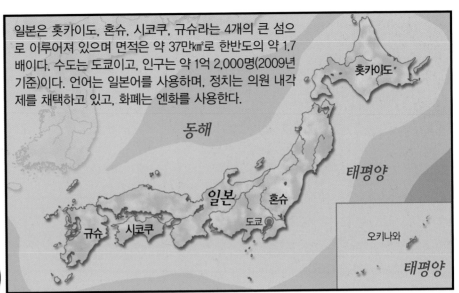

일본은 홋카이도, 혼슈, 시코쿠, 규슈라는 4개의 큰 섬으로 이루어져 있으며 면적은 약 37만㎢로 한반도의 약 1.7배이다. 수도는 도쿄이고, 인구는 약 1억 2,000명(2009년 기준)이다. 언어는 일본어를 사용하며, 정치는 의원 내각제를 채택하고 있고, 화폐는 엔화를 사용한다.

홋카이도

동해

태평양

일본

혼슈

규슈   시코쿠   도쿄

오키나와

태평양

일본 지도를 보여 드릴게요.

우아! 영상도 보여 주네요?

생긴 거랑은 딴판이네!

삐…

와쏜은 전 세계 각국의 역사, 지리, 기술, 학문 등 모든 정보가 입력된 로봇이야.

미르, 넌 일본이 어떻게 생겨난 줄 아니?

역사는 잘 모르는데….

와쏜이 알려 드릴게요.

일본에 사람이 살기 시작한 것은 약 40만 년 전으로 보는데, 이때부터 일본의 구석기 시대가 시작되었다. 구석기인들은 수렵과 채집을 하며 살았다.

구석기 시대의 일본은 대륙과 이어져 있었으나 약 1만 년 전 빙하가 녹아 바닷물의 높이가 높아지면서 오늘날과 같은 지형을 갖추게 되었다.

□ 60만 년 전의 지형
□ 현재의 지형

이때부터 일본 역사 시대가 시작되는데, 그 첫 시기를 '조몬 시대'라고 해요.

조몬 시대?

조몬 시대

기원전 1만 3천 년경부터 기원전 400년경까지의 기간을 말한다. 조몬 시대는 토기와 간석기를 사용했기 때문에 신석기 시대에 해당하지만, 중국·한반도와는 다르게 농경이 본격적으로 시작되지는 않았다. 이밖에도 주술적 의미로 사용했을 것으로 보이는 토우, 석봉 등의 유물이 발견되었다.

화염 무늬 토기

조몬 시대에 살았던 사람들을 조몬 인이라고 부르는데, 이들이 지금 일본인의 조상으로 여겨지고 있어요.

그렇게 일본 역사가 시작된 거구나.

와, 엄청 똑똑해!

14   * 조몬 시대 기간은 도쿄 국립 박물관 자료에 따랐다.
* 토우 : 흙으로 만든 사람이나 동물 모양의 상으로, 종교적·주술적 의미를 가짐
* 석봉 : 갈돌. 갈판돌에 대고 열매를 갈 때 쓰던 납작한 돌

미르,
넌 내 조수로
일하려면 좀 더
공부해야겠다.

쿡

와쏜!

네!

자, 이쯤하면
와쏜이 보통
로봇이 아니란
걸 알겠지?

그럼 이제 출발하자.
어물거리다가는 야마스카를
못 막을지도 몰라.

그런데요…

와쏜이 대단한 건
알겠는데,

타임머신은
어딨어요?

타임머신도
와쏜이 소개해
줄 거다. 와쏜!

밖으로 나가죠.

와~!

슈~웅

지이잉

타임머신 나와라~!

섬나라 일본, 기지개를 켜다

일본, 610년 야마토 정권 시기에 도착했습니다.

야마토 정권이요?

에휴, 나는 너희 나이 때 아시아는 물론 세계 각국의 역사를 알았는데.

그럴 리 가요….

흠, 흠! 설명해 줄 테니 잘 들어.

아까 조몬 시대 얘기 해 준 것 기억하지?

네!

조몬 시대 때 한국·중국 등 주변 국가들은 강력한 왕권 국가를 세우는 등 일찍이 문명이 발달했지만, 일본은 섬이라는 지리적 조건 때문에 문명 발달 속도가 더뎠다.

재 좀 봐.

기원전 3세기 무렵 야요이 시대에 이르러서야 백여 개의 작은 나라들이 생겨나기 시작했고, 비로소 벼 농사를 짓기 시작했다.

벼농사를 지은 게 뭐 대단한 일도 아닌데….

농경을 시작한 건 역사적으로 대단한 일이야. 벼농사를 짓는 방법을 중국 남부와 한반도에서 건너온 사람들이 전해 주었지.

벼농사 짓는 방법과 함께 옷감 제작 기술, 청동기와 철기의 제작 기술, 정치 제도 등도 전해 주었다.

이때 일본을 고대 중국이나 우리나라에서는 '왜'라고 불렀는데 백여 개의 나라들이 큰 전쟁을 치르던 시기야. 그 뒤 기원후 4세기경 야마토 정권이 성립하여 최초의 통일 국가를 이루었고 '고분 시대'가 시작되었지.

지금은 고분 시대 다음인 '아스카 시대'야. 6세기에 야마토 정권이 불교 문화를 바탕으로 아스카 시대를 열었어.

고대 일본의 시대 구분

연대	시대
약 1만 3천 년경	조몬 시대
기원전 400년경	야요이 시대
기원후 400년경	고분 시대
552년경	아스카 시대
645년경	
710년	나라 시대
794년	헤이안 시대
1185년	

＊7세기 말부터 '일본'이라는 국호를 사용하기 시작했다.

그럼 야마스카가 여기 있는 거예요?

그런 것 같아.

슈우욱~

우리도 일단 내려가서 근처를 둘러보자.

잠깐만요! 내리기 전에 옷을 갈아입어야 해요.

이 장치 위에 서면 자동으로 그 시대에 맞는 옷으로 바뀔 거예요.

시간 여행 때문에 역사가 바뀌면 안 되니까 들키지 않도록 조심해.

어디… 내가 먼저 해볼게.

우아!

파아앗

와! 정말 바뀌었어!

자, 이제 옷도 다 바꿔 입었으니 밖으로 나가 볼까?

위급한 일이 있으면 와쑨이 근거리 공간 이동을 시켜줄 거니까 멀리 떨어지지 않도록 조심해.

삐이잉

우선 타임머신을 감추자.

슈우웅~

이 시대 물건이 아닌 걸 찾아보도록 하겠습니다.

멀지 않은 곳에 있는 것 같아요.

야마스카가 왜 여기로 왔을까요?

지금이 야마토 정권 시기 중에서도 일본 문화가 가장 큰 발전을 이뤘기 때문인 것 같아.

이쪽으로 가볼까요?

왠지 두근두근 거린다.

괜히 들떠서 놓고 가는 물건이 없도록 조심해. 역사에 영향을 줄 수 있으니까.

타 다 닥

카 당

아야!

괜찮니?

괜찮아요. 그런데 처음 보는 얼굴이네요? 이 근처 마을 분이 아니신가 봐요?

아, 우리는…

우린 여행자란다. 이 근처는 처음이라 그러는데 가까운 마을까지 안내해 주겠니?

멀지 않으니 안내해 드릴게요.

만나서 반가워.

나와 나이도 비슷해 보이는데…

나도 반가워. 신의 아들 천황이 다스리는 아름다운 이 땅에 온 걸 환영해.

신의 아들?

천황?

우리나라가 어떻게 생겨났는지 모르는구나.

22　　＊ 원래 '천황'이라는 칭호는 7세기 말에 성립되었다. 이전에는 '오호 키미(大王)'라고 불렸는데 독자의 편의를 위해 본문에서는 '천황' 으로 표기하였다.

아득한 옛날 천상계에는 이자나기와 이자나미라는 신이 살았다.

이자나미   이자나기

이자나기와 이자나미는 일본 열도를 만들고 많은 신을 낳았다.

이때 태양의 신인 아마테라스가 태어난 거죠.

아마테라스는 그 자손인 호노니니기에게 세 가지 신기를 주고 지상을 지배할 것을 명했다.

지상에 내려가거라.

세 가지 신기?

세 가지 신기는 오늘날까지도 천황의 상징으로 이어져 오고 있어.

네? 그걸 아세요?

아, 아무것도 아니다.

세 가지 신기가 뭔데?

거울, 검, 옥구슬을 말해.

거울

옥구슬

검

지상으로 내려온 호노니니기는 고노하나와 혼인해서 자손을 낳았는데,

그 자손의 4대손이 바로 진무 천황이야.

진무 천황이 유명한 사람이야?

진무 천황은 첫 일본 왕이야.

일본인에게 있어서 천황은 신의 자손인 거지.

이렇게 천황을 신으로 섬기는 일본 고유의 신앙을 '신도'라고 해.

우아. 신의 자손이라니 신기하다.

이후에 들어온 불교도 신도와 융합되어 일본만의 독특한 성격을 띠게 된 거예요.

이건 어디까지나 신화니까 너무 깊이 생각하지 않아도 됩니다.

아, 그렇구나.

우리나라의 단군 신화와 비슷한 거예요.

저 절을 지나서 길을 따라 곧장 내려가면 마을이 나올 거예요.

고마워. 잘 가.

아니, 저 곳은 호류사잖아?

호류사요?

호류사 7세기 초 아스카 시대에 지어진 절로 나라 현에 있다. 유네스코가 지정한 세계 문화유산이며 세계에서 가장 오래된 목조 건축물이다.

호류사가 있는 걸 보니 이곳은 나라 현 근처구나.

야마토 정권 시기에 야마토 국의 수도는 아스카였어.

야마토 정권 시기의 일본

동해

야마토 정권

신라

백제

일본

헤이조쿄(나라)

아스카

태평양

---

* 710년 '나라'로 수도를 옮겨 중국 당의 수도 '장안'을 모방한 새로운 수도를 건설했는데,
　이때 '나라'는 '헤이조쿄'라고 불렸다.

* 호류사(法隆寺): 법륭사

고구려, 백제, 신라에서 온 기술자와 학자들이 많이 있어서 그래.

어? 그런데 저 사람들은 옷이 다른데요?

4세기 전반 야마토 정권이 형성되면서 야마토 지역의 호족과 그 주변 호족 세력들이 연합해 큰 힘을 갖게 됐어.

호족은 중앙의 귀족과 대비되는 지방의 유력한 지배자를 말해요.

호족은 한반도와 중국의 문화를 적극적으로 받아들였다.

고구려

불교, 회화, 종이, 붓

백제 신라 가야

조선술, 축제술

오카야마

쓰루가

토기 제작술

나라

유학, 불교, 회화, 천문, 역법

하카타

하지만 호족 세력 중 소가 가문과 모노노베 가문이 불교 수용을 둘러싸고 큰 싸움을 벌이게 되었다.

불교는 받아들여야 해.

그건 절대 안 돼!

소가 가문

모노노베 가문

싸움은 불교 수용을 주장한 소가 가문의 승리로 끝났어요.

소가 가문은 왕을 암살하고 새로 스이코 천황을 즉위시켰어요.

그리고 쇼토쿠 태자를 섭정으로 임명했지요.

쇼토쿠 태자?

쇼토쿠 태자

쇼토쿠 태자(574~622년)는 일본 고대 문명의 기틀을 확립한 통치자이다. 중국 수나라에 견수사를 파견하는 등 외국 문물을 적극적으로 받아들이는 한편 국내에서는 천황을 중심으로 한 중앙 권력 강화에 힘썼다.

쇼토쿠 태자 초상화

쇼토쿠 태자는 중앙 권력을 강화시키기 위해 관위 12계, 17조 헌법 등 여러 제도를 만들었어.

그게 무슨 법인가요?

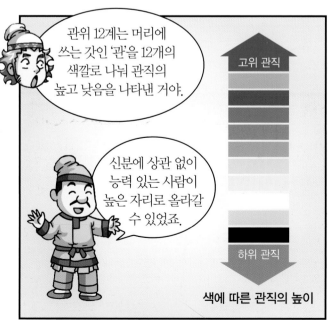

관위 12계는 머리에 쓰는 갓인 '관'을 12개의 색깔로 나눠 관직의 높고 낮음을 나타낸 거야.

신분에 상관 없이 능력 있는 사람이 높은 자리로 올라갈 수 있었죠.

고위 관직

하위 관직

색에 따른 관직의 높이

17조 헌법은 천황의 권위에 복종하고 불교를 숭상할 것 등을 그 내용으로 담고 있어.

---

* 섭정:직접 통치를 할 수 없는 군주 대신에 나라를 다스림
* 쇼토쿠 태자(聖德太子):성덕태자
* 견수사:일본이 각종 문물제도를 수입하기 위해 중국 수나라로 보내던 사신

또 주변 나라의 문물을 적극적으로 받아들이기도 했는데,

이때 중국 대륙을 지배한 건 수였어.

쇼토쿠 태자는 607년에 수에 사절단을 보내 문물을 배워 오게 했다.

우리 사절단을 견수사라고 해요.

한 마디로 우리가 와 있는 이 시기는 일본이 외국의 발달한 문명을 받아들이면서 비약적인 발전을 이룩한 때야.

그래서 아마스카가 그때의 중심지였던 이곳으로 온 거군요.

그런 것 같아. 와쭌, 아직 멀었니?

이 근처에서 신호가 잡혔어요.

탐정님, 그럼 어서 서둘러요.

얼른 이 주변을 샅샅이 뒤져 봐.

야마스카가 이곳에서 훔쳐 갈 보물이 뭐가 있지?

아, 그거구나! 금당 벽화!

네?

야마스카가 금당 벽화를 훔치려고 하는 게 틀림없어.

야마스카라면 벽을 통째로 떼어서라도 훔쳐 갈 거야.

벽화를요?

그럼 야마스카는 이 금당 안에 있겠군요.

설록수! 이제 오나?

야마스카!

!!

아직 금당 벽화는 건드리지 않았군.

난 그렇게 유치한 사람이 아니야.

여긴 단지 자네와의 대결을 알리는 장소로 택했을 뿐이지.

흥미롭지 않나?
수천 년의 시간 속에서
자네와 내가 대결을
펼치는 게 말이야.

애들도 아니고
유치해.

진짜 떼어내는 게
힘들어서 안 가져
간 건 아닐까?

꼬마 녀석들이~! 아무리
나라도 금당 벽화 같은 명작을
막 떼지는 않는다고!

암, 벽을
떼는 게 얼마나
귀찮은데.

명작이라고요?

금당 벽화가
유명한가요?

아니, 얘들은 누구야?
자네 조수 맞나?
이런 것도 몰라?

내 조수가
맞긴 하지만…

가케루, 이 애들한테
금당 벽화에 대해
알려 줘라.

네,
알겠습니다.

이게 바로 금당 벽화야.

지잉~

호류사의 금당 벽화
610년, 고구려의 승려 담징이 그린 것으로 오늘날 중국의 원강 석굴 석불과 한국의 경주 석굴암과 함께 동양 3대 미술품으로 꼽힌다.

고구려 승려 담징이 그린 거라면 일본뿐만 아니라 우리나라의 보물이기도 하네?

가케루도 대단한 로봇이구나.

하하하. 나 같은 천재가 만든 건데 이 정도는 기본이지.

우끼~!

으쓱~

어째 탐정님이랑 분위기가 비슷한 것 같지 않아?

그러게 말야. 자기 자랑하는 게 똑같아.

야마스카, 그만둬! 여기서 유물을 훔치면 현대에 있는 유물까지 사라진다는 걸 몰라서 그래?

역사 전체가 꼬여서 재난이 일어날 거란 것도 알고 있다.

32

알면서 왜 이래?

그야….

내가 너보다 더 잘났는데 아무도 안 믿어 주잖아!

연막탄

가자, 가케루!

거기 서!

콜록 콜록

퍼엉

후다닥

누, 누가 문 좀 열어 줘!

내가 열게.

콜록 콜록

덜컥

누구냐?

어라?

헉!

* 당시에는 '쇼토쿠'라고 불리지 않았지만 독자의 편의를 고려해 '쇼토쿠'라고 부르는 장면으로 연출했다.

역시 네 놈들, 호족의 자객 이구나!

용서하지 않겠다!

안 되겠다, 와쑨! 비상 이동이다!

네.

파아앗~

근거리 이동합니다!

어… 어디 갔지? 갑자기 사라졌어.

두리번 두리번

슈우욱~

앗!

꺅!

와아!!

수상한 자들이 도망쳤다! 찾아라!

여기 더 있다가는 잡히겠어.

와쑨, 타임머신을 꺼내. 일단 이곳을 벗어나자.

네.

쑤 우 우 웅

파 아 앗

아미, 네가 태권도로 쓰러뜨리니까 이렇게 된 거잖아!

평소에 열심히 연습하니까 나도 모르게 나온 거지!

그만, 그만.

티격

태격

야마스카가 어디로 갔는지 다시 추적해 봐.

네, 탐지기를 가동하겠습니다.

아스카 시대의 다른 유물은 유명한 게 없나요?

야마스카가 그쪽으로 갔을지도 모르잖아요.

다른 시대로 갔을 거야. 쇼토쿠 태자가 불교를 받아들여 화려한 문화의 꽃을 피웠던 아스카 시대는 얼마 안 가 막을 내리거든.

네? 왜요?

쇼토쿠 태자가 세상을 뜬 뒤 귀족과 호족 세력이 반란을 일으켰어.

결국 645년 '을사의 변'이 일어나 소가 가문이 몰락하고 새로운 천황이 등극해 정치 개혁을 실시했는데, 이를 '다이카 개신'이라고 한다.

다이카 개신

645년 일본은 중국의 제도를 모방해 연호를 만들기도 했는데, '다이카(大化)'는 일본 최초의 연호이다. 중국 당의 행정 조직, 토지, 조세 제도를 본떠 왕의 절대적인 권위를 확립하고자 시작한 정치 개혁이다.

① 호족이 갖고 있던 토지와 사람은 모두 왕의 소유이다.

② 중앙 정부에서 임명한 관리 '국사'가 지방에 파견되었다.

③ 인구 조사를 통해 백성들에게 공정하게 토지를 분배했다.

④ 모든 백성이 예외 없이 세금을 내도록 공평한 조세 제도를 만들었다.

* 연호 : 연도를 나타내는 이름

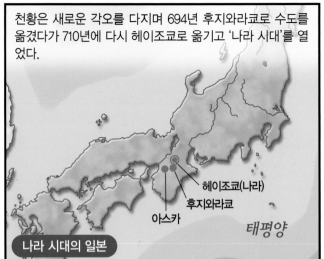

천황은 새로운 각오를 다지며 694년 후지와라쿄로 수도를 옮겼다가 710년에 다시 헤이조쿄로 옮기고 '나라 시대'를 열었다.

헤이조쿄(나라)

후지와라쿄

아스카

태평양

나라 시대의 일본

그럼 아마스카가 나라 시대로 옮겨 갔겠군요.

어머, 미르 네가 웬일로 그럴듯한 추리를 다 했어?

세계 최고 설록수 탐정님의 조수라면 이 정도는 기본이지.

우와앙

못말려.

야마스카의 흔적이 다른 시대에서 발견됐습니다.

쿠우우

그래?

가자!

슈아앙

파지지지

무사에 의한 일본 지배

11세기 초 일본에 도착했습니다.

멀지 않은 곳에서 현대 물체가 감지됩니다.

11세기 초라고? 그럼 지금은 헤이안 시대겠구나.

나라 시대가 아니고 헤이안 시대라고요?

불교 문화와 중국 문화를 적극적으로 받아들였던 나라 시대가 막을 내린 후 헤이안 시대가 시작됐어.

헤이조쿄를 중심으로 번영했던 나라 시대는 794년에 헤이안쿄로 수도를 옮기면서 막을 내리고 헤이안 시대의 막이 열렸다. 헤이안 시대는 1185년 가마쿠라 막부가 시작될 때까지 계속되었다.

헤이안쿄(교토)

혼슈

시코쿠

헤이조쿄(나라)

아스카

태평양

규슈

헤이안 시대의 일본

헤이안 시대는 일본 고대 문명의 황금기로
일컬어지는데 화려한 궁중 귀족 문화가 발달
했다.

저들의 차림을 봐.

우아. 엄청 예쁘네요.

옷차림도 화려하구나.

그런데 야마스카가 왜 여기로 왔을까요?

저런 화려한 옷을 가져가려는 건가?

글쎄. 여기서 뭘 훔쳐 가려고 왔을까?

위 이잉

일단 내려가서 이 주변을 탐색해 보는 게 좋을 것 같아요.

저쪽 먼저 가 볼까요?

가나

10세기경부터 쓰인 일본 문자로 한자를 간략하게 써 소리를 표시하면서 발전했다. 가나에는 히라가나와 가타가나가 있다. 히라가나는 일본 고유어나 조사, 동사 활용 등에 사용하고, 가타가나는 외래어 표기 등에 주로 사용한다.

한자	安	以	宇	衣	於	加	機	久	計	己
히라가나	あ	い	う	え	お	か	き	く	け	こ
가타가나	ア	イ	ウ	エ	オ	カ	キ	ク	ケ	コ
발음	아	이	우	에	오	가	기	구	게	고

《겐지모노가타리》

11세기 초 무라사키 시키부가 일본 글자인 가나로 쓴 54권 분량의 장편 소설이다. 일본 고전 문학의 걸작이며 장편 소설 중에는 세계에서 가장 오래되고 훌륭한 작품 중 하나로 꼽힌다.
겐지 왕자가 살면서 여러 여자를 만나고 사랑을 나누는 내용이 담긴 이 소설은, 헤이안 시대의 세련되고 우아한 귀족들의 사회 모습을 잘 그려내고 있다.

《겐지모노가타리》의 일부

그래서 이 책을 훔치려고 했구나.

야마스카는 어디 있어? 말해!

파지직

어이쿠!

에잇!

전 아무것도 몰라요.

얼른 도망쳐!

힐끔

앗! 저기 야마스카도 있어요!

어서 시간 이동 하자!

후다닥

가케루, 이 멍청한 녀석아!

그거 하나 못 가져와!

그게… 저도 어쩔 수 없었어요.

파앗一

셜록수, 가만 두지 않겠다! 두고 봐!

전국 시대로 간다!

우리도 얼른 가요!

와쭌, 전국 시대로 가자!

헤이안 시대 다음이 전국 시대인가봐?

그렇지 않아요. 헤이안 시대 다음에는 가마쿠라 막부가 생겨났고 본격적인 일본 중세 시대가 개막해요.

그 과정을 자세히 말해 줘야 겠구나.

헤이안 귀족 정치가 계속되고 있을 때 어지러운 지방의 치안을 담당하기 위해 중앙에서는 귀족을 파견했어.

이들이 전문 전투 집단이 되면서 '무사'의 시조가 되었다. 무사들은 중앙 정부에 불만이 쌓여 대규모 반란을 일으키기도 했다.

겐지와 헤이시 무사 집단이 세력이 컸는데, 미나모토 요리토모가 있는 겐지 무사단이 두 집단의 전쟁에서 승리하며 헤이시는 몰락했다.

그리고 미나모토 요리토모가 무사 정권의 시초인 가마쿠라 막부를 열어.

가마쿠라 막부(1192~1333년)

미나모토 요리토모가 가마쿠라에 최초의 무사 정권인 가마쿠라 막부를 세우고 1192년에 쇼군 자리에 오르며 가마쿠라 시대가 본격적으로 시작되었다. 의리·충성·용맹의 무사도 정신을 중시했으며, 무사들은 쇼군에게 충성을 다하고 땅을 받아 농민들을 자기 밑에 두었다.

미나모토 요리토모

* 가마쿠라 막부의 시작 연도를 미나모토 요리토모가 막부를 개설한 1185년으로 보기도 한다.
* 쇼군 : 정이대장군(征夷大將軍)의 준말로 막부의 우두머리

외국으로부터 공격을 받은 적이 없던 일본은 가마쿠라 막부 때 두 차례 외국군의 침입을 받고 두려움에 떨게 돼.

두 차례 다 몽골이 세운 '원'이 공격해 온 거예요.

원은 1274년과 1281년 두 차례에 걸쳐 일본을 공격했다. 하지만 일본은 '가미카제(신의 바람)'라 불린 태풍 덕분에 이를 막아낼 수 있었다.

가마쿠라 막부는 원의 함대를 막아냈지만 막대한 군사비 지출로 재정이 어려워졌고, 이에 불만을 품은 세력이 막부를 무너뜨렸다.

재정

빈 깡통

막부의 빈자리를 채우기 위해 다투던 두 세력 중 1336년 아시카가 다카우지는 교토에, 다카우지에게 쫓겨난 고다이고 천황은 요시노에 각각 조정을 열어 남북조 시대를 개막했다.

교토

요시노

아시카가 다카우지는 교토를 중심으로 무로마치 막부 시대를 열고, 3대 쇼군인 아시카가 요시미쓰가 남북조를 통일해 전국적인 통일 정권을 수립하게 되었다.

이제 일본은 내가 지배한다!

무로마치 막부(1338~1573년)

아시카가 다카우지가 교토를 본거지로 새로운 막부를 열고 1338년 쇼군이 되었다. 3대 쇼군 아시카가 요시미쓰가 교토의 무로마치에 저택을 세워 흔히 무로마치 막부라 부르며 무로마치 막부가 집권한 이 시기를 무로마치 시대라 한다.

혼슈

교토

나라

* 무로마치 막부의 시작 연도를 아시카가 다카우지가 막부를 개설한 1336년으로 보기도 한다.

아시카가 요시미쓰는 긴카쿠지를 만들기도 했지.

긴카쿠지 교토 기타야마에 있는 절로 원래 이름은 로쿠온 지(鹿苑寺)이다. 금박이 입혀진 누각 때문에 긴카쿠지(金閣寺)로 불리기도 하는데, 이는 황금의 나라 일본을 상징한다.

무로마치 막부 때는 해적 집단인 '왜구'가 한반도와 중국 연안 지역을 약탈하는 일도 잦았어.

중국에는 1368년 '명'이 건국되었는데, 왜구 문제를 해결하기 위해 명은 일본으로부터 조공을 받는 형태로 교류를 인정해 주었다. 일본과 중국의 국교는 500여 년 만의 일이었다.

그럼 야마스카가 간 전국 시대는 언제예요?

무로마치 막부는 1467년에 후계자 문제를 둘러싸고 '오닌의 난'이 일어나는데, 이를 계기로 전국 시대가 시작돼.

전국 시대

1467년 무로마치 막부의 8대 쇼군인 아시카가 요시마사의 후계자 문제로 인해 전국적으로 큰 혼란이 일어났다. 이를 '오닌의 난'이라고 하는데, 이를 계기로 전국 시대가 시작되었고 이 시기는 15세기 말부터 16세기 말까지 이어졌다.

중국의 전국 시대는 기원전 475~221년이었죠.

왜 전국 시대로 간다는 건지 모르겠어요.

빨리 쫓아가 보는 수밖에.

현대의 것으로 추정되는 물체의 반응을 찾았습니다.

47

16세기 말의 일본에 도착했습니다.

앗! 저 사람은…!

왜요? 누구 아는 분이라도 있나요?

저기… 도쿠가와 이에야스야.

중요한 사람이에요?

물론이지. 전국 시대를 주름잡던 세 영웅 중 한 사람이거든.

전국 시대의 세 영웅이 있었기에 지금의 일본이 있다고 할 수 있지. 먼저 오다 노부나가의 이야기부터 해주마.

전국 시대의 세 영웅

오다 노부나가(1534~1582년)
혼란스러웠던 일본을 통일시키는 데 공헌을 했으나, 가신이 일으킨 반란으로 사망했다.

도요토미 히데요시(1536~1598년)
오다 노부나가의 뒤를 이어 최초로 일본을 통일, 1592년에 조선을 공격하면서 임진왜란을 일으켰다.

도쿠가와 이에야스(1543~1616년)
도요토미 히데요시 다음으로 정권을 잡아 에도 막부 시대의 문을 열었다.

오다 노부나가는 전문적으로 훈련을 받은 직업 병사들과 조총과 같은 무기를 이용해 막강한 전투력으로 주변 세력들을 자신의 발아래 두었다.

1573년에는 교토의 쇼군을 추방하고 무로마치 막부를 끝냈다.

하지만 일본 통일을 눈앞에 두고 부하 아케치 미쓰히데에게 기습당한 오다 노부나가는 결국 자결했다.

아깝다.
내가 다 해 놓은
건데….

오다 노부나가가
통일의 기반을
다져 놓았기 때문에
도요토미 히데요시가
일본을 통일할 수
있었던 거예요.

원래 오다 노부나가의 부하였던 도요토미 히데요시는 오다 노부나가가 숨을 거두자 배신한 부하를 처단하고 그의 뒤를 이어 1590년에 일본을 통일했다.

모두 내 말
잘 들을 거지?
안 그러면
이렇게 된다!

통일을 이뤘으니
전쟁으로 얼룩진
국내를 안정시켜야
하지 않겠어?

그래서 도요토미
히데요시는 여러 가지
정책을 펴.

토지 조사를 실시해서 농민들이 자신의 땅에서 농사지을 수 있도록 했어. 대신 그만큼 세금을 거둬서 경제적 기반을 탄탄히 했지.

그리고 농민들에게서 무기를 빼앗아 농민과 무사를 철저히 구분했어. 농민들이 무사가 되려는 생각을 못하도록 하려는 거였지.

이 땅은 이제 당신 것이오. 대신 세금을 내시오.

너희는 딴생각 말고 농사만 짓도록 해.

도요토미 히데요시는 일본을 통일한 영웅이지만 우리 역사에서는 조선을 침략한 사람이야.

도요토미 히데요시는 1592년과 1597년 두 차례에 걸쳐 조선을 침략하며 임진왜란과 정유재란을 일으켰다.

울산성 전투도

사진 출처 : 북촌 미술관

너무해! 왜 가만히 있는 조선을 침략한 거예요?

그야 자기를 따르는 이들에게 줄 영지가 부족하고 정치가 혼란하니 해외로 관심을 돌리려고 조선을 침략한 거야.

그럼 전국 시대
세 영웅 중 마지막 인물인
도쿠가와 이에야스는 어떤
사람이에요?

도쿠가와 이에야스는
도요토미 히데요시
다음으로 정권을 잡아
에도 막부 시대를
연 사람이지.

도요토미 히데요시가 숨을 거둔 뒤, 1600년에 도쿠가와 이에야스를 따르는 동군 다이묘들과 도요토미 가를 따르는 서군 다이묘들 사이에 '세키가하라 전투'가 벌어졌다. 전투는 동군의 승리로 끝났고, 도쿠가와 이에야스는 권력을 손에 넣었다.

세키가하라 전투

도쿠가와 이에야스는
그동안 행정의 중심지였던
곳에서 멀리 떨어진 에도로
수도를 옮겼어요.

에도 막부 시대의 일본

일본

헤이안쿄(교토)

에도(도쿄)

헤이조쿄(나라)

아스카

태평양

여기가 16세기 말이라고
했으니 아직 세키가하라
전투가 벌어지기
전이구나.

* 다이묘 : 각 지방의 영토를 다스리는 권력을 가진 우두머리

자세히 보니 곧 있을 전투 때문에 예민해 있는 것 같아.

얼른 야마스카를 찾아 이곳을 떠나야 할 텐데.

설록수 탐정님!

도쿠가와 이에야스 에게서 현대 물체의 반응이 있습니다.

삐 삐 삐

저 사람 한테서?

뭐라고? 어서 내려가 보자!

슈욱-

쉿! 조용히 따라와.

야마스카가 변장한 거 아냐?

사 사 삭

그 쪽지 누가 준 건가요?

응? 이거?

이걸 받아 주시어요. 이따 몰래 보세요.

왜 나한테 이런 걸?

아까 어떤 여인이 수줍게 건네준 건데….

야마스카의 짓이야. 저건 분명 현대의 종이라고.

저 종이가 이 시대에 있으면 안 되겠군요.

아무래도 수상한걸.

?

숙

?

혁!

뭉

아무래도 야마스카가 우리를 함정에 빠뜨리려고 한 것 같아. 약삭빠른 녀석.

그래도 저 종이를 우리가 가져와야 하는 거 아니에요?

무사들이 많이 화가 난 것 같은데 어떻게 다시 갔다 오지?

그거라면 걱정 마세요. 제가 가져왔어요.

우아! 와쑨~!

다행이다!

이 시대에는 다른 현대 물체의 반응은 없습니다. 이 종이 때문에 야마스카가 있는 걸로 착각했어요.

야마스카~!

내 손에 잡히기만 해 봐라!

에도 막부 시대에서 레이더 반응이 잡힙니다.

붕~

어서 가자!

슈아아양

크크. 우리가 도쿠가와 이에야스를 한껏 약올려놨으니 지금쯤이면 설록수 일행은…!

한편,

와 자 지 껄

도쿠가와 이에야스가 손쉽게 처리했을 거예요. 우끼~!

훔쳐갈 게 이렇게 많다. 설록수가 발이 묶인 사이 시대별 유물들을 거의 다 모았어.

전부 가져가지 못 하는 게 안타깝네요. 우끼~!

사 삭

헤헤

꿍차~!

이제 다음 목적지로 가자.

불룩

척

랄라라

시끌 시끌 시끌

웅성 웅성 웅성

에도 막부 시대

우아, 굉장히 활기찬 곳이야.

사람도 많아.

청에서 들여온 고급 비단이에요!

재래 시장에 온 느낌이에요.

에도 막부 시대에는 상업이 발달했거든.

에도 막부(1603~1867년)

일본의 마지막 무사 정권으로 도쿠가와 막부라고도 부른다. 정치적으로 안정되어 경제적인 성장이 이루어졌고 농업 기술과 수공업, 상업, 도시가 발달했다.

무사, 농민, 수공업자, 상인으로 신분 계급이 나뉘어 있었는데 그중 도시 상공업자인 '조닌'의 세력이 커지면서 무사와 대등한 사회적 지위를 갖게 되었다.

활기찬 상인들이 많이 모인 니혼바시 풍경

에도 막부 시대에 상업이 발달한 이유가 있어요.

그게 뭔데?

농업이 발달해 생산량이 늘어나니까 거래량도 늘어서 화폐가 활발하게 사용되었어요. 그래서 상업이 발달했죠.

한편 에도 막부는 정권을 유지하기 위해 쇄국 정책을 유지하고 있었어.

쇄국이라는 건 다른 나라와의 통상이나 교역을 금지하는 걸 말해.

들어올 수 없어!

그럼 다른 나라의 문물은 받아들이지 않았다는 거예요?

어? 저 아저씨는 청에서 들여온 물건이 있다고 했는데.

일본은 나라 문을 굳게 닫고 있었는데, 조선과는 외교 관계를 다시 맺어 교류를 하고 있었고, 청과는 교역만을 하고 있었지.

포르투갈, 스페인과도 무역을 했지만 일본이 기독교 선교를 금지했는데도 이를 지키지 않아 두 나라 모두 내항을 금지했어.

우리를 그렇게 괴롭혔는데 교역을 했다고요?

조선과는 임진왜란 때문에 사이가 나쁜 거 아니에요?

사이가 좋지는 않았지만, 도쿠가와 이에야스는 조선에 통신사 파견을 요청하는 등 관계를 회복하는 데 힘썼어요. 그래서 다시 외교를 맺은 거죠.

뻘뻘

뻘뻘

통신사?

전화국 같은 건가?

통신사는 조선이 일본에 파견한 문화 사절단입니다.

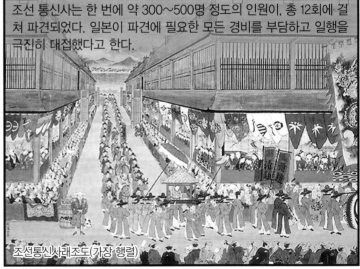

조선 통신사는 한 번에 약 300~500명 정도의 인원이, 총 12회에 걸쳐 파견되었다. 일본이 파견에 필요한 모든 경비를 부담하고 일행을 극진히 대접했다고 한다.

조선통신사래조도(가장 행렬)

＊내항: 항구에 배를 대고 들어옴

어라? 포르투갈, 스페인과는 내항을 금지했다고 하셨죠? 그럼 저 사람들은 어느 나라 사람이에요?

저들은 네덜란드 인일 거야.

네덜란드 얘기는 없었잖아요!

이제부터 하려던 참이었어. 네덜란드는 일본이 교역하는 유일한 서양 국가야.

일본은 네덜란드를 '오란다'라고 불렀지.

난 네덜란드 사람.

친하게 지냅시다.

난 일본 사람.

우리가 저 사람들을 못 봤으면 끝까지 말 안 해 줬을지도 몰라.

우리가 잘 모른다고 놀리는 것 같지 않아?

아니거든!

깜짝

흠, 흠. 설명해 줄게.

에도 막부 시대에는 규슈의 나가사키 앞바다에 '데지마'라는 인공 섬을 만들어 네덜란드를 통해 서양의 문물을 받아들였다. 영국은 네덜란드에 밀려 일본과의 무역에서 손을 뗐고, 포르투갈과 스페인은 기독교 선교 때문에 내항을 금지당했으므로 네덜란드와의 무역은 일본의 유일한 서양과의 교역이었다.

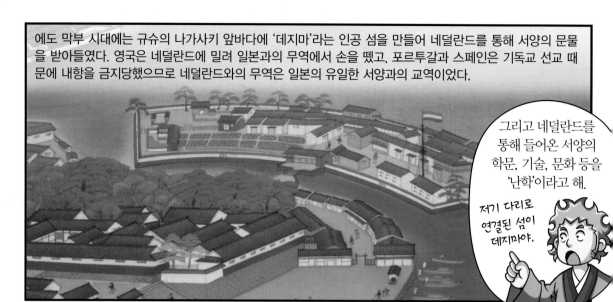

그리고 네덜란드를 통해 들어온 서양의 학문, 기술, 문화 등을 '난학'이라고 해.

저기 다리로 연결된 섬이 데지마야.

난학을 배우고 연구하면서 특히 의학과 과학이 많이 발달했지.

자, 이제 야마스카를 찾아야지.

와쓴, 찾았어?

현대 물체의 신호가 더는 잡히지 않습니다. 이동한 것 같아요.

생각보다 잽싸군. 얼른 쫓아가자.

거기 잠깐!

네? 저희요?

왜요?

이 근처에서 혹시 옷 보따리 못 봤니?

옷이요?

난 가부키 배우인데 잠깐 한눈 판 사이 의상이 없어졌지 뭐야.

이제 곧 무대에 올라가야 되는데….

가부키?

가부키를 몰라?

요즘 얼마나 인기 있는데….

가부키

일본의 대표적인 고전 연극으로, 음악과 춤으로 이루어진 무언극이다. 남자 배우가 모든 역할을 소화하며 오늘날까지도 그 맥을 이어 오고 있다. 대표작으로는 〈주신구라〉가 있다.

가부키 외에도 일본 전통 인형극인 분라쿠, 궁중 무용인 부가쿠, 전통 연극인 노가 지금까지도 이어져 내려오고 있어요.

가부키라는 거 한번 보고 싶다.

나도.

바로 옆에서 하는데 잠시 보고 갈래?

우아, 그래도 돼요?

안 돼! 지금 그럴 시간이 어디 있어?

우리가 그 죽을 고비를 넘기며 여기까지 왔는데.

휙

휙

잠깐인데 보고 가요, 탐정님!

으, 야마스카는 계속 일을 벌이고 있을 텐데….

어쩔 수 없지. 그럼 잠깐만이다.

야호!

난 준비하러 갈 테니 너희는 여기서 구경하면 될 거야.

네.

어? 저 사람 얼굴 좀 봐.

어디? 어디?

저건 '구마도리' 라고 하는 가부키 화장입니다.

배우들의 표정을 잘 보여 주기 위해 하는 거예요.

그렇구나.

우아, 정말 사람들이 많이 왔어요.

엄청 인기가 많나 봐.

에도 시대 조닌 문화의 대표적인 예가 가부키거든.

조닌 문화요?

에도 시대에는 상업이 발달했다고 말했었지?

네.

조닌은 도시에 사는 상인과 수공업자를 말해.

상업이 발달하면서 조닌 문화가 발달했는데, 조닌들은 소설을 읽거나 가부키, 우키요에 등을 즐겼다.

우리는 먹고살 걱정이 없다고.

그러니 당연히 여가를 즐겨야지.

우키요에는 서민 풍속화를 말해요.

에도 시대 화가 가쓰시카 호쿠사이의 우키요에 대표작 중 〈가나가와의 큰 파도〉

지금은 이렇게 화려하지만, 에도 시대 역시 18세기 중엽부터 서서히 저물어 가.

네? 왜요?

어느 시대나 평화로운 것 같아 보여도 자꾸만 문제가 생기나 봐.

제가 설명 드릴게요.

* 우키요에: 에도 시대 사람들의 생활이나 풍경 등을 그린 풍속화를 말하는데 주로 병풍이나 목판화 형식으로 발전. 우키요에는 유럽으로 전해져 19세기 유럽 화가들에게 많은 영향을 끼침

18세기 중엽, 에도 막부는 세 번의 대기근을 겪으면서 정치·경제 체제가 휘청이기 시작했다.

교호 대기근, 덴메이 대기근, 덴포 대기근이 있었어요.

수확량이 줄어들자 농민들에게서 거두어들인 쌀을 화폐로 바꿔 생활하던 무사들의 생활이 어려워졌다.

이제 돈으로 바꿀 쌀이 없네.

그래도 돈을 가져와야지 물건을 살 수 있어요.

지배 계층인 무사들이 돈이 없으니 어떻게 했을 것 같아?

음, 다른 일을 하지 않았을까?

직접 농사를 짓거나 물고기를 잡아서 말이지?

하하. 하지만 무사들은 다른 방법을 선택했어.

무슨 기발한 방법이라도 있었나요?

에도 막부의 무사들은 농민들에게 더 많은 세금을 부과했고, 생활이 어려웠던 농민들은 이를 참지 못하고 반란을 일으켰다.

어휴. 겨우 세금을 올리는 게 방법이라니. 농민들이 이해가 가요.

막부는 내부의 어려움만 있던 건 아니야.

막부 체제를 위협하는 새로운 세력이 등장했거든.

그게 누군데요?

바로 저 검은 배지!

서양의 배는 나무가 썩지 않도록 배에 콜타르를 발랐는데 이 때문에 배가 검은 색으로 보여 검은 배라고 불렀어요.

1853년, 페리 제독이 이끄는 검은색 군함 네 척이 에도 앞바다에 나타나 일본에 개항을 요구했다. 검은 배는 엄청난 화력을 가진 미국의 군함이면서 강한 힘을 가진 외부 세력을 상징했기 때문에 사람들은 검은 배가 보이면 벌벌 떨었다.

일본은 미국에 항구를 열어라! 안 열면 대포를 쏘겠다!

어, 어림없는 소리….

그런데 힘센 중국도 영국과 치른 아편 전쟁에서 졌다는군.

서양 세력이 그렇게 힘이 세단 말이야? 우리도 언제 중국처럼 당할지 모르겠네?

두 번에 걸친 미국의 위협에 결국 막부는 1854년, 미일 화친 조약을 맺고 나라의 문을 열었다.

200여 년 만에 다른 나라와 교역을 시작했어요.

* 아편 전쟁 : 제1차 중·영 전쟁(1839~1842년). 영국이 중국에서 상품 시장을 확보하기 위해 벌인 전쟁

그 후로 일본은 많은 변화를 겪었다는 얘기지!

우아, 제법이야.

닫혀 있던 문이 열렸으니 교역을 하려는 사람들이 많았을 거 아냐.

그래서 새로운 서양의 문물이 많이 들어왔다는 거지?

하지만 개항 이후 물가는 점점 올라가고 세금 부담은 커져 살기가 더 어려워졌다.

자, 배에 면직물과 모직물을 가져왔소.

차를 사고 싶으면 예전의 10배 가격을 지불해요.

부르는 게 값이로군.

우린 차를 수출할 것이오.

차를 마시고 싶은데 만드는 건 전부 외국으로 팔아버리니…

서구 열강의 힘에 굴복하여 개항을 한 것에 불만을 품은 반막부 세력들은 천황을 중심으로 막부 반대 운동을 벌였다.

기존의 것을 지키려는 사람들과 새로운 걸 받아들이려는 사람들 간에 다툼이 있었네.

맞아.

메이지 유신과 근대 일본의 변화

결국 막부 시대는 저물고 메이지 천황이 실질적인 통치자로 즉위하면서 메이지 시대가 열리게 됐지.

메이지 시대(1868~1912년)

에도 막부가 무너진 1868년부터 메이지 천황이 사망한 1912년까지를 말한다. 수도의 이름을 '에도'에서 '도쿄'로 바꿨다. 일본이 근대 사회로 발전하기 위한 많은 변화가 있었으며 청·일 전쟁과 러·일 전쟁을 겪었다.

근대화된 메이지 시대의 도쿄 거리

메이지 시대 이전에는 수도 이름으로 시대를 구분했어.

'나라'나 '헤이안', '에도'처럼 말이죠?

그렇지. 하지만 메이지 시대부터는 천황의 이름을 사용해서 시대를 구분해.

내가 바로 '메이지' 천황!

그래서 '메이지' 시대!

서양 문물이 들어오면서 새로운 기술이 유입되거나 생활 양식 등에 변화를 가져왔는데 이를 '메이지 유신'이라고 해.

그러니까 메이지 유신은 근대적인 국가로 바꿔 가는 정치적, 사회적 변혁을 말해.

근대화에 성공한 거죠.

메이지 유신이 가져온 변화

① 봉건 제도를 해체하고 천황이 중심이 되어 입헌 군주제를 실시했다.

② 사회 계급 제도가 없어지고 모든 사람이 평등한 사회를 이루려 했다.

③ 통일된 조세·화폐 정책을 실시했으며, 유럽식 은행 제도로 개인이 하는 사업이 활발했다.

④ 무사 계급이 없어지면서 정부군이 구성되고 징병 제도를 실시했다.

⑤ 최초로 철도가 개설되고 전신선이 가설되면서 교통·통신 산업을 발전시켰다.

⑥ 복식·건축 등 다양한 방면에서 서구 문화가 널리 장려되었다.

우아, 정말 많이 바뀌었네요.

그뿐인 줄 아니? 학교 제도를 만들어 소학교 의무 교육을 시키고, 태양력을 채택하고, 단발령을 내렸어.

앗! 탐정님!

왜 그래?

이곳에서 사라진 현대 물체의 신호가 다른 시대에서 탐지됐어요.

삐 삐 삐

자, 그럼 우리도 얼른 야마스카를 잡으러 가자.

짝 짝 짝 짝 짝

가부키도 이제 막 재밌어지려고 했는데…

이러다가 야마스카가 역사를 망가뜨려 버리면 더는 가부키를 볼 수 없을지도 몰라.

그럼 안 되죠!

그래. 그러니까 얼른 야마스카 부터 찾자.

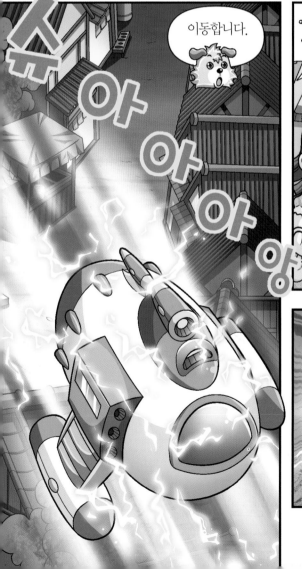

1945년, 쇼와 시대의 히로시마에 도착했습니다.

히로시마 도쿄
태평양

쇼와 시대는 메이지 시대에서 다이쇼 시대를 거쳐 등장했어.

다이쇼 시대?

다이쇼 시대는 다이쇼 천황이 즉위한 1912년부터 1926년까지를 말해요.

다이쇼 천황은 병약했기 때문에 얼마 안 되어 쇼와 천황이 즉위하면서 쇼와 시대가 시작된 거야.

1926년에 쇼와 천황이 즉위하면서 쇼와 시대(1926~1989년)가 시작되었지만, 1923년 간토 대지진과 1929년 세계 대공황의 여파로 힘든 시기를 보냈다.

간토 대지진

1923년 도쿄, 요코하마 등 간토 지방에서 대지진이 발생하여 10만여 명의 사망자를 냈다. 지진 이후 한국인이 방화, 약탈을 할 거라는 유언비어가 퍼져 수천 명의 한국인이 학살되었다.

자, 그럼 야마스카가 더는 나쁜 짓을 못 하게 얼른 잡자!

아래 마을에서 다른 시대 물체의 반응이 감지됩니다.

슈우욱

차

우선 내리자.

* 세계 대공황: 1929년 미국 증권 시장의 주가 폭락을 계기로 일어난 세계적인 경제 불황

다이쇼 시대를 거쳐 쇼와 시대까지 왔으니 이전과는 많이 다르지?

네. 사람들 옷차림부터 다른데요?

공장도 많이 보이고요.

지금은 제2차 세계 대전 중이라 옷차림이 검소해.

남자는 카키색의 국민복을 입었고, 여자는 몸뻬를 입었지.

머리에 두른 건 방공 두건이야. 공습에 대비해 머리를 보호 하려고 쓰는 거지.

그럼 저런 공장은 언제부터 생겨난 거예요?

제가 설명할게요.

1880년대 산업 혁명을 하면서 대량 생산을 위한 공장을 세우고 농업 국가에서 공업 국가로 변화를 꾀했어요.

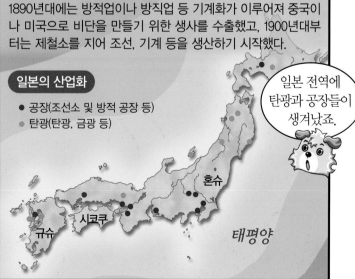

1890년대에는 방적업이나 방직업 등 기계화가 이루어져 중국이나 미국으로 비단을 만들기 위한 생사를 수출했고, 1900년대부터는 제철소를 지어 조선, 기계 등을 생산하기 시작했다.

일본의 산업화
- 공장(조선소 및 방적 공장 등)
- 탄광(탄광, 금광 등)

혼슈

일본 전역에 탄광과 공장들이 생겨났죠.

시코쿠

규슈

태평양

* 제2차 세계 대전: 1939~1945년 독일·이탈리아·일본 등의 군국주의 나라와 미국·영국·프랑스 등 연합국 사이에 일어난 세계적 규모의 전쟁
* 생사: 삶아서 익히지 않은 명주실

일본은 다른 아시아 지역보다 빨리 산업 혁명을 시작한 덕분에 엄청난 경제 성장을 이뤘어요.

우편, 철도, 전기, 전화도 이때 들어왔고요.

1871년 우편 도입

1872년 철도 개통

1887년 전기 도입

1890년 전화 도입

다이쇼 시대에 전 세계는 제국주의 때문에 몸살을 앓고 있었어.

제국주의요?

세계는 19세기 후반부터 20세기 초반에 걸쳐 제국주의가 퍼졌어요.

제국주의는 우월한 군사력과 경제력을 가진 강대국이 약소국을 침략하여 자신들의 식민지로 만드는 약육강식의 정책을 말한다. 영국, 프랑스 같은 유럽 국가의 식민지 경쟁에 미국, 독일, 일본 등이 뛰어들었다.

땅 내놔!

산업 혁명으로 빠른 경제 성장을 이룬 일본이 본격적인 식민지 전쟁에 뛰어든 거죠.

조선 총독부 1910년 8월, 일본은 식민지 통치 기구로서 조선 총독부를 설치했다.

* 조선총독부 청사는 광복 50주년인 1995년에 철거되었고, 독립기념관에서 철거 부재 전시 공원을 만들어 일반에 공개했다.

청·일 전쟁은 1894~1895년에 조선의 지배권을 둘러싸고 청과 일본 사이에 벌어진 전쟁이다. 러·일 전쟁은 1904~1905년에 조선과 중국 만주 지역에 대한 지배권을 둘러싸고 러시아와 일본 사이에 벌어진 전쟁이다.

〈청·일 전쟁〉

청나라 → 조선 ← 일본

〈러·일 전쟁〉

러시아 → 조선·만주 지역 ← 일본

두 전쟁 모두 일본의 승리로 끝났어요.

일본은 청·일 전쟁과 러·일 전쟁으로 엄청난 경제 성장을 이루었어. 이것을 기반으로 제1차 세계 대전에서는 영국, 미국과 함께 연합군에서 싸웠지.

우리도 연합군에서 동맹국에 맞서 싸우겠다!

하지만 전쟁이 끝난 뒤 세계적으로 불어닥친 대공황에 일본도 혼란에 빠지게 된 거야.

대공황은 1929년부터 1939년까지 전 세계적으로 지속된 경기 침체를 말해요.

일본은 돌파구가 필요했어.

그런데 1930년대에는 전체주의 국가들이 대외 침략에 나섰거든.

＊제1차 세계 대전 : 1914~1918년, 사라예보 사건을 계기로 오스트리아가 세르비아에 선전 포고를 해서 일어난 세계적 규모의 전쟁

일본은 1931년에 만주를 침략하면서 만주 사변을 일으켰다. 국제 연맹은 일본에게 만주에서 물러날 것을 요구했지만, 일본은 국제 연맹을 탈퇴해 버렸다. 그리고 1937년에 중·일 전쟁을 일으키면서 중국을 침략했다.

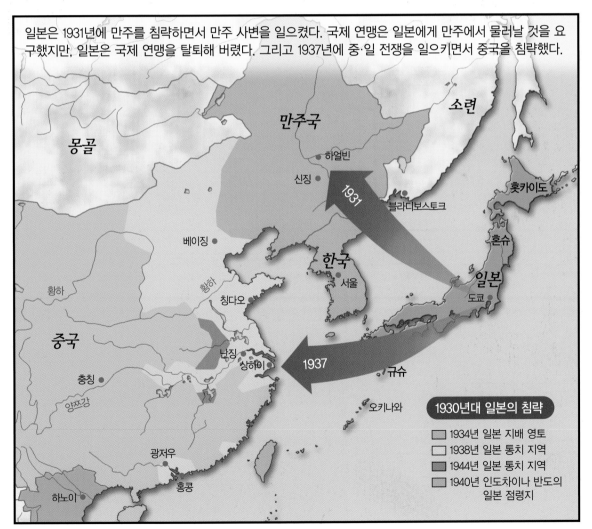

1930년대 일본의 침략	
	1934년 일본 지배 영토
	1938년 일본 통치 지역
	1944년 일본 통치 지역
	1940년 인도차이나 반도의 일본 점령지

원래 전쟁은 잔인한 거지만 일본은 이 전쟁에서 특히나 잔인한 짓을 했어.

난징 대학살 말씀이시죠?

난징 대학살

일본은 중·일 전쟁에서 중국의 수도 였던 난징을 점령하고 1937년 12월부터 약 2개월간 대학살을 행했다. 패잔병과 포로는 물론 피난 가 있던 일반 시민들까지 약 30만 명이 희생되었으며 현지에 있던 외국인 생존자들에 의해 이 사실이 전 세계에 알려졌다.

〈난징 대학살 기념관〉 앞 동상

대체 왜 이런 짓을 하는 거야?

까짝

너무 화가 나요!

쉿!

아미야, 진정해.

아미를 조수로 뽑지 않은 게 천만다행이야.

씩씩

안타깝게도 1939년에는 제2차 세계 대전까지 일어났어. 우리가 지금 그때로 와 있는 거야.

아…!

제2차 세계 대전은 1939년에 독일이 폴란드를 침공하면서 일어났으며 유럽뿐만 아니라 아시아, 아프리카까지 전 세계가 전쟁에 휩싸였다.

이 기회를 일본이 놓칠 리 없었지.

일본은 독일, 이탈리아와 삼국 동맹을 맺고 추축국의 하나가 되어

프랑스, 영국, 중국, 소련 등 연합국과 맞서 싸웠어.

추축국

연합국

프랑스나 영국은 동남아시아에 식민지를 가지고 있었는데,

일본도 동남아시아의 지하 자원이 있으면 경제 발전에 도움이 될 거라 생각했지.

일본은 주석, 고무, 석유 등 지하자원이 풍부한 인도네시아, 말레이시아 등 유럽의 동남아시아 식민지를 빼앗으려고 했다.

쟤들은 지하자원이 풍부하니 우리가 빼앗아야 해.

일본인들이 우리 땅을 넘보고 있어.

이러다 전쟁이 일어나는 거 아니야?

전쟁 때문에 많은 사람들이 아팠을 걸 생각하니 너무 슬퍼.

나도 힘이 쫙 빠지는 것 같아.

헛! 힘이 빠지니 갑자기 배에서 소리가…

하하. 힘이 빠져서 배에서 소리가 나는 게 아니라 그냥 배가 고픈 거겠지.

꼬르륵

금강산도 식후경이라고 했는데, 뭐라도 먹을까?

우아~!
저기서 맛있는
냄새가 나요.

자, 그럼
들어가서 일단
배부터 채우자.

만쥬
나왔습니다.

우아,
맛있겠다!

잘 먹겠습….

끼 리 리

저기 가게루가
지나가요!

정말!

뻐 떡

두리번 어디로
사라졌지?

두리번

저기예요!

끼 릭
끼 릭

잡아!

덥
석

가케루, 너 잘 만났다!

야마스카는 어디 있어?

모두 진정하세요. 그건 가케루를 닮은 인형 같은데요?

어라?

정말 태엽 인형이네!

두둥

이 인형 때문에 현대 물체의 반응이 있었나 봅니다.

야마스카가 왜 이런 엉뚱한 짓을 했지?

음, 우리 때문에 유물을 훔치지 못할 것 같아서 그런 거 아닐까요?

우리를 골려 주려고 그런 걸 거야.

그런데 이 쪽지는 뭘까?

이게 뭐야!

앗, 이건!

확

안녕! 그동안 즐거웠어.

설마! 지금이 며칠이야?

1945년 8월 6일이에요.

그럼 오늘이잖아!

빨... 빨리...!

무슨 일인데 그러세요?

오늘이 왜요?

일단 타! 와쑨, 서둘러!

어서 날아올라! 최고 속도로!

안전벨트 꼭 매세요!

으아아~!

어? 저기 웬 비행기가….

저건 원자 폭탄을 실은 비행기야!

바로 오늘이 히로시마에 원자 폭탄이 떨어지는 날이라고!

앗! 더 빨리 도망가야 해!

히로시마 원자 폭탄 투하

미국은 우라늄으로 만든 원자 폭탄을 히로시마에 떨어뜨렸다. 이로써 수많은 사람이 죽거나 다쳤다. 두 번째 원자 폭탄이 나가사키에 떨어지고 나서 일본은 태평양 전쟁에서 항복했다.

꺅! 도, 도시가 잿더미로 변해 버렸어요!

어, 어떻게 저럴 수가…!

와쑨, 일단 다른 시대로 피하자!

네. 에너지도 얼마 없으니 현대로 돌아가겠습니다.

흑…. 대체 누가 왜 저런 거예요?

미국이 일본에 원자 폭탄을 투하했어.

미국이요?

미국과 일본이 왜 싸우게 됐는지 설명해야 이해가 쉽겠다.

전 세계가 제2차 세계 대전으로 시름에 잠겨 있을 당시,

미국은 전쟁에 직접 참여하지는 않고 연합군에 물자를 지원하고 있었어.

그런데 일본이 연합군에 맞서 싸우고 있으니 눈엣가시였던 거지.

슈 아

슈 아 아

미국은 일본이 독일, 이탈리아와 삼국 동맹을 체결하고 동남 아시아를 침략하려고 하자 철과 석유 등의 일본 수출을 중지 하고 일본을 방해했다.

철과 석유가 없으면 우리 공장은 어떻게 가동시키라고.

동남아시아 지역을 괴롭히니까 어쩔 수 없어.

수출 금지

석유

일본

미국

일본이 가만히 있었을까?

그러게. 저렇게 되면 무척 불리해질 텐데…

맞아. 화가난 일본은 태평양에서 미국을 무력화 시키려고 하와이의 진주만 미군 기지를 기습했어.

캐나다

미국

중국

한국 일본

태평양

대만

진주만(1941.12.7)

하와이

■ 태평양 전쟁에서 일본이 진출한 지역

진주만 공습

1941년 12월 7일, 일본의 비행기들이 하와이 오아후 섬의 진주만에 있던 미군 기지를 기습 공격했다. 미국의 함선 18척이 침몰 또는 손상을 입었고, 180대가 넘는 비행기가 파괴되었으며 2,400명이 넘는 군인이 죽거나 다치고 민간인 피해도 잇따랐다.
미국은 이날을 '불명예스러운 날'로 기억하고 있으며, 이때까지 전쟁 참가에 반대하며 중립을 지키려던 생각을 바꾸어 참전하게 되었다.

공습으로 불길에 휩싸인 미군 전함

많은 사람이 희생되었네요.

울 먹

진주만 공습으로 미국이 전쟁에 참여하면서 태평양 전쟁이 시작됐어요.

태평양 전쟁?

태평양 전쟁은 제2차 세계 대전 중에서도 1941년부터 1945년까지 미국과 일본 사이에 벌어진 전쟁이에요.

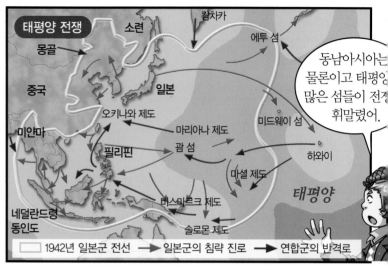

태평양 전쟁

캄차카
소련
몽골
에투 섬
중국
일본
오키나와 제도
미드웨이 섬
미얀마
마리아나 제도
하와이
필리핀
괌 섬
마셜 제도
태평양
네덜란드령 동인도
비스마르크 제도
솔로몬 제도

□ 1942년 일본군 전선   → 일본군의 침략 진로   ➡ 연합군의 반격로

동남아시아는 물론이고 태평양 많은 섬들이 전쟁에 휘말렸어.

태평양 전쟁은 처음에는 막강한 군사력을 가진 일본이 유리했어.

하지만 전세는 미드웨이 해전으로 역전돼.

미드웨이 해전

1942년 6월, 태평양 중부 하와이 제도 북서쪽에 있는 산호섬인 미드웨이 섬에서 일어난 전쟁으로 미국과 일본 사이에 벌어진 전쟁이다. 미국은 일본의 주요 항공모함 전력과 항공기를 파괴하며 전쟁의 판도를 바꿔 놓았다.

그랬는데 1945년까지도 전쟁이 끝나지 않은 거예요?

그게 말이야, 일본은 비행기에 폭탄을 싣고 미국의 군함에 자폭을 하는 등 전쟁을 포기하지 않았거든.

쾅   펑   쾅

이렇게 전투기로 직접 군함에 부딪혀 자살 공격을 한 일본 공군을 '가미카제' 라고 했어요.

이렇게 태평양 전쟁이 이어지는 동안 독일이 항복을 하고 제2차 세계 대전이 거의 끝나 갈 무렵 포츠담 선언이 발표됐어.

그건 뭐예요?

포츠담 선언은 1945년 7월에 미국, 영국, 중국의 대표가 독일 포츠담에 모여 일본의 항복 조건과 일본 점령지의 처리에 관하여 발표한 선언이다.

일본은 당장 항복하라!

시무룩

그랬는데도 일본이 항복하지 않았구나.

이 당시 미국의 대통령이던 트루먼이 원자 폭탄을 떨어뜨리기로 결정했지.

어떻게 하면 미군을 덜 희생시킬 수 있을까?

어떻게 하면 일본이 항복을 하게 만들 수 있을까?

역시 원자 폭탄 밖에 없어!

미국은 결국 1945년 8월 6일에는 히로시마에, 9일에는 나가사키에 원자 폭탄을 떨어뜨리게 된 거야.

히로시마
1945.8.6

나가사키
1945.8.9

일본

오사카

나라

도쿄

미야자키

카고시마

태평양

탐정님, 얼른 다시 돌아가요! 어서요!

나가사키에 사는 사람들이라도 대피시켜야죠!

안타깝지만 역사를 우리 마음대로 바꿔서는 안 돼.

우린 지금 역사를 지키기 위해서 야마스카와 싸우고 있는 거잖아.

흑… 그럼 그 사람들이 너무 불쌍해서 어떡해.

흑 흑

일본에 떨어진 원자 폭탄 때문에 10만 명 이상의 사람들이 죽고, 10만 명 이상의 사람들이 다쳤어.

하지만 일본은 그 때문에 1945년 8월 15일에 무조건 항복을 했고, 제2차 세계 대전은 막을 내렸지.

무조건 항복할게요!

그런데….

부르르…

그런 위험한 상황에서 나를 놀려?!

야마스카, 내 손에 잡히기만 해 봐!

버럭—

현대에 도착했습니다. 이 근처에서 야마스카의 흔적이 잡혀요. 그런데…

파 지 직 —

뭐?!

뭣?!

에너지가 없어요! 불시착합니다!

슈 우 우 웅

파 앙

아니, 이게 무슨 소리지?

드 르 륵

경제의 성장

그런데…

황당~

우리 집 마당에 무슨 짓이야?

하하…

삘 쫌

야마스카를 쫓다 보니 연료가 떨어진 걸 몰랐어요.

야마스카를?

깜짝

여기서 이럴 게 아니라 들어가서 얘기하자.

빙글

아미와 미르라고 했지? 음료수와 과자를 준비했다.

우아, 배고팠는데….

잘 먹겠습니다!

자, 어찌된 일인지 말해 봐.

그게 말이죠….

그렇게 된 거예요. 그래서 다시 야마스카를 찾아 현대로 왔어요.

야마스카 때문에 너희가 고생이 많구나. 시간도 늦었으니 여기서 천천히 쉬다 가거라.

감사합니다, 교수님~!

자넨 야마스카를 잡을 방법을 생각해 보도록 해.

번 뜩

걱정 마세요. 금방 잡을 수 있어요.

이 근처에서 야마스카의 신호가 잡혔거든요.

하핫!

그런데요, 교수님. 궁금한 게 있는데….

할아버지라고 불러도 된다. 뭐가 궁금하니?

저희 조금 전에 원자 폭탄이 떨어져 폐허가 된 걸 보고 왔는데… 지금은 어떻게 이렇게 잘살게 된 거예요?

너희 6·25 전쟁은 알고 있니?

네. 저희 할아버지도 6·25 전쟁에 참전 하셨다고 했어요.

그런데 6·25 전쟁이랑 일본의 발전이랑 무슨 관련이 있어요?

관련이 있고 말고.

자넨 야마스카 잡을 계획이나 세우라니까 그러네.

네… 네.

탐정님이 꼼짝도 못 하시네.

태평양 전쟁에서 일본이 미국에 졌다는 건 알지?

네. 무조건 항복을 했다고 들었어요.

태평양 전쟁에서 이긴 미국은 일본에 연합군 최고 사령부를 설치하고 일본을 통치했다.

일본을 무력이 없는 중립국으로 만든다!

이후 미국은 일본의 철강 산업 발달을 저지하는 등 전쟁의 불씨를 제거하는 데 주력했다.

또 무기를 만들지도 모르니 철강 산업에 손대지 마.

이럴 수가…! 우린 전투기도 직접 만든 철강 대국인데!

뭐 먹고 살라고.

하지만 6·25 전쟁이 일어나면서 상황이 바뀌게 된 거야.

1950년 6월 25일 새벽, 북한이 남한을 무력 침략하면서 6·25 전쟁이 시작되었다. UN 안전 보장 이사회는 북한에 즉시 철수를 요구하는 결의안을 통과시켰다.

그러나 북한군이 물러나기는커녕, 중공군까지 전쟁에 참가하면서 전쟁은 더 확대됐어.

전쟁이 커지자 맥아더는 한반도에서 가까운 일본에 군수 물자 공장을 짓기 시작했지.

전쟁터와 가장 가까운 일본에 미군 보급 기지를 짓는다!

엄청난 양의 군수 물자를 만들어 내니, 일본 경제가 다시 살아날 수밖에.

동해

한국

일본

태평양

＊중공군 : 중국 공산당의 군대

우리나라의 비극이 일본한테는 기회가 된 거로군요.

기분이 이상해.

이후 일본은 미국과 우호적인 관계를 유지하며 놀라운 경제 성장을 이뤘어.

전쟁에 져서 엄청난 가난에 시달릴 뻔했던 일본으로서는 절호의 기회였던 거야.

지금이 기회야! 이럴 때 얼른 경제 성장에 힘쓰자고!

하지만 일본이 그 이후에도 계속 노력했으니까 오늘날 이만한 부자 나라가 된 거겠죠?

그렇지.

일본 정부는 대기업을 키우기 시작했지.

세계와 경쟁해서 이기려면 우선 기업의 덩치를 키워야 한다.

국가 차원에서 대기업을 지원해야 경제가 성장할 거라고 생각한 거야.

대기업

정부

내가 뒤에서 힘을 써 줄 테니 당신들은 세계에서 알아주는 기업을 만들기 위해 힘을 쓰시오.

그 결과 세계를 주름잡는 혼다, 소니, 도요타 같은 대기업이 등장하게 됐지.

하지만 나라에서 도와준다고 다 잘되면, 이 세상에 망하는 기업이 없을 거 아니에요?

일본 기업이 발전하고, 경제가 크게 성장할 수 있었던 건 옛날부터 전해져 내려온 일본인들의 가업을 잇는 장인 정신이 한몫했단다.

기업가들도 장인 정신으로 제품을 만들었기 때문에 물건을 사려는 사람들이 많았고, 기업은 점점 성장할 수 있었지.

너희도 집에 일본 전자 제품 한두 개쯤은 있겠지?

네.

우리 집은 카메라가 일본 제품이야.

난 게임기.

그래. 일본 전자 제품은 세계적으로도 그 품질을 인정받았어.

그뿐이 아니란다. 각종 제조 산업에서 뛰어난 기술을 가지고 있는 덕분에 빠른 경제 성장을 이룰 수 있었던 거야.

그래서 공업 강대국이 되었지.

공업 강대국

우리 할아버지도 일본은 싫어하셨지만, 일본 가전 제품은 마음에 들어하셨어요.

제 외국인 친구도 일본 카메라를 갖고 싶다고 했어요.

그럼 일본 사람들은 대부분 공산품을 만드는 일과 관련된 직업을 갖고 있나요?

그건 아니야.

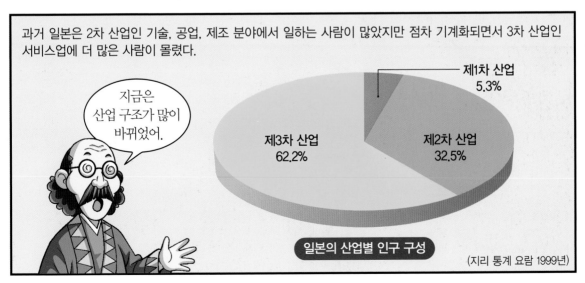

과거 일본은 2차 산업인 기술, 공업, 제조 분야에서 일하는 사람이 많았지만 점차 기계화되면서 3차 산업인 서비스업에 더 많은 사람이 몰렸다.

지금은 산업 구조가 많이 바뀌었어.

제1차 산업
5.3%

제3차 산업
62.2%

제2차 산업
32.5%

일본의 산업별 인구 구성

(지리 통계 요람 1999년)

1차 산업은 농업이나 어업을 말하는 거죠?

비중이 적은 걸 보니, 이 분야에서는 일본도 약한가 보다.

천만에!

…?

일본은 세계적인 농업 선진국 중 하나로 꼽혀. 국내에서 생산되는 식량만으로 80퍼센트나 자급자족이 가능하지.

일본은 땅도 좁고, 인구도 많잖아요!

이게 다 부지런히 농업 기술을 개발하고, 농지 개간에 힘쓴 덕이야. 또 일본 국내뿐만 아니라, 다른 나라 농지를 구입해 보유하고 있어.

어업이야 섬나라니까 당연히 주 종목 아니겠니?

게다가 일본 경제 성장의 원동력이 된 요인이 또 한 가지 있단다.

뭔데요?

일본은 자원이 많은 나라로부터 원료를 수입해서 가공하여 자동차, 전자 제품 같은 부가가치 높은 상품을 만들어 집중적으로 수출한다.

원료 수입

가공

제품 판매

이게 바로 일본 무역 구조의 특징이야.

일본은 세계 무역 시장의 균형을 흔들 만큼 막대한 이득을 취했어.

전부 내 돈이야.

헉!

위이잉~

세계 시장을 흔들 정도로 돈을 벌었다고?

대체 어느 정도인 거야?

그런데 일본 경제도 90년대 이후로는 쭉 슬럼프였잖아요?

째릿

누구야말로 심각한 슬럼프 같은데? 의뢰한 일을 통째로 망치고 말이야.

알았어요, 꼭 해결할게요.

일본은 1968년 서독을 제친 후 줄곧 세계 제2의 경제 대국으로 군림해 왔지만,

지금 일본 국내 시장은 경기 침체로 어려운 상황이야. 지나친 엔화 상승으로 무역 수익도 줄고, 청년 실업 문제 등으로 경제 발전이 더뎌진 상태란다.

게다가 최근에는 전 세계적으로 모든 나라에 경제 불황이 닥쳐, 경기 침체에서 벗어나기는 쉽지 않아 보여.

우리나라도 어렵잖아.

그렇지.

안 그래도 한국을 비롯한 많은 나라들이 일본의 기술력을 위협하고 있는 상황이고,

반도체는 이미 한국이 이겼지!

자원이 많이 나지 않는 일본은 선진적인 기술과 독창적인 산업 구조로 승부를 봐야 하는데,

힘이 아닌 기술만이 승산이 있다!

대기업을 선두로 크기와 규모로 승부를 가렸던 일본의 산업 구조가 갑자기 바뀌긴 힘들어.

벤처 기업

중소 기업

대기업

대기업

* 서독 : 동독과 서독으로 나뉘어 있던 독일은 1990년에 통일을 이룸

전 세계적으로 작지만 창의적인 벤처 기업이 활약하는 시대에, 대기업과 관료들이 주도하는 전형적인 산업 형태로는 속도와 독창성 면에서 뒤처질 수밖에 없다.

관료

대기업

으~ 너무 무거워.

그렇지만 여전히 일본은 세계적인 경제 강대국이야.

일본의 인구는 한국의 2배지만 GDP는 6배 이상일 정도지.

인구는 우리 2배인데.

생산량은 우리의 6배래.

게다가 일인당 국민 소득은 4만 달러로, 중국의 약 10배란다.

집은 네가 더 넓어도 아직은 내가 훨씬 더 잘산다.

자, 이만하면 궁금한 건 해결됐지?

네.

＊ GDP : 국민 총생산에서 해외로부터 순소득을 제외한 걸 말하는데, 경제 성장의 대외 비교에 쓰임
2009년 IMF 자료에 따랐음

설록수, 야마스카를 붙잡고 문화재를 되찾을 계획은 다 세웠나?

아직…!

시간은 충분히 줬잖아.

피곤해서 그런지 집중이 잘 안 돼서요.

자넨 예전부터 게을러서 탈이었어! 한시가 급한 일이니 서둘러야지!

네…. 그런데 조금만 자고 하면 안 될까요?

허어! 이제 다 컸다고 꼬박꼬박 말대꾸로구나!

시간 여행하느라 잠을 못 자서 그런 거라고요.

따악

스승님 때문에 내가 애들 앞에서 체면이 안 서는구나.

다른 데로 갈까?

여긴 야마스카의 흔적이 끊긴 곳인데 그러면 안 되죠.

흠…

애초에 야마스카를 놓치지 않았으면 이런 일도 없었죠.

그렇지만….

저녁 식사를 준비할 테니 너희는 먼저 씻어라.

고맙습니다.

나는 와쏜이랑 타임머신을 고칠게.

이 자리를 피하고 싶은 게 아니고요?

그럼 수사는 어떡해요?

걱정 마. 내가 알아서 할게.

살금

살금

어딜 가?

덥썩

깜짝

아무래도 학생 시절로 돌아가 혼쭐이 나야 정신을 차리겠구먼!

으~ 체면 구기네.

일본 사람들의 생활이 궁금해

야마스카 기지

설록수 녀석,
지금쯤 분통이
터지겠지?

이번에야말로
설록수와의 대결에서
내가 이긴 것 같다.

그럼 스승님이 도와주세요!

야마스카를 잡을 수 있도록…

평소 문안 인사 한 번 안 하더니 이럴 때만 스승이냐?

일단 네가 망가뜨린 우리 집 마당부터 제대로 복구해.

그럼 야마스카를 잡는 데 도움이 될 만한 정보를 주지.

정말요?

감사합니다! 너희도 도와!

알았어요.

네…

이걸 다 어떻게 하죠?

우리가 이렇게 많이 망가뜨렸었나…?

와쏜과 나는 마당의 흙을 다시 다질 테니, 너희는 망가진 꽃과 나뭇가지를 치워라.

영차, 영차!

팍— 팍—

설록수 탐정님이 궂은일을 저렇게 열심히 하는 모습은 처음 봐.

나도.

그런데 하루오 교수님은 나무를 좋아하시나 봐.

주섬 주섬

그러게. 꽃과 나무가 많아.

만약 우리가 스승님이 가꾸는 정원에 떨어졌으면 큰일 났을 거야.

네?

저쪽에 스승님이 직접 가꾸신 무척 아끼는 정원이 있거든.

척

우아~!

108

이걸 전부 직접 가꾸신 거란 말이에요?

졸졸졸

아기자기하니 정말 예쁘다.

우리나라랑 많이 다른 것 같아요.

그렇지?

외부 주거 환경을 아름답게 꾸미는 걸 조경이라고 하는데 일본의 조경은 우리나라와 많은 차이가 있어.

졸졸졸

보고 있으니 왠지 알 것 같아요.

우리나라 창경궁 안에 있는 연못은 왕궁에 있는 건데도 별다른 장식이 없잖아요?

그런데 일본 연못은 폭포와 분수대를 만들고 자연석으로 둘레를 꾸미기도 해서 아기자기한 것 같아요.

미르 말대로 일본의 건축과 조경은 인공적이면서 섬세한 특징이 있어.

네덜란드, 포르투갈 등 서양에서 전해져 온 기법 등이 많이 녹아 있거든.

일본의 대표적인 정원을 보여 드릴게요.

일본 3대 정원

고라쿠엔
오카야마 현에 있는 정원으로 1700년에 지어졌다. 에도 시대에는 '오카야마 성 뒤편에 있는 정원'이라는 뜻으로 '고엔'으로 불렀다가 1871년에 '고라쿠엔'으로 이름을 바꿨다. 강과 언덕, 오카야마 성을 배경으로 꾸며져 있으며, 지방에 있는 정원으로는 드물게 다이묘 정원이다.

겐로쿠엔
이시카와 현에 있는 겐로쿠엔은 에도 시대의 대표적 다이묘 정원으로 1676년에 지어졌다. 무사 가문의 정원이었으나 1874년 일반에 공개되었고, 1985년 국가 명승지로 지정되었다. 여러 가지 조원술을 종합적으로 사용해서 만들었는데 몇 개의 연못이 있고, 다양한 나무를 심었다.

가이라쿠엔
이바라키 현 미토 시에 있는 가이라쿠엔은 1842년 지어졌다. 다른 다이묘 정원과는 다르게 영주나 무사뿐만 아니라 서민에게도 개방할 목적으로 만들어졌다. 매년 2월 하순부터 3월 하순에 걸쳐 미토 매화 축제가 열리고, 5월에는 철쭉 축제, 9월에는 싸리 축제가 열린다.

하나하나 작고 아기자기해서 마치 동화 속 나라에 온 것 같아.

아주 잘 봤어.

규모가 크지 않은 게 일본 조경의 특징 중 하나야.

청소하라고 내보냈더니, 잡담 하고 있었느냐?

아이코!

스승님, 무슨 말씀을. 이미 깨끗하게 복구했습니다.

정말인가?

헛! 감쪽같이 깨끗해졌네.

제가 왜 거짓말을 하겠어요.

말 짱

좋다. 들어오거라.

네.

에구구...

실은 네가 도착하기 좀 전에 야마스카가 왔었다.

따끈 따끈

깜짝

그게 정말입니까?

야마스카는 너를 골탕먹였다고 무척 기뻐하더구나.

푸헤헤헤헤

잠깐만요!

할아버지도 야마스카랑 아는 사이세요?

우리 둘 다 하루오 교수님 제자야.

뭐라고요?

그럼 두 분은 친구였어요?

그런데 왜 이렇게 앙숙이 됐어요?

그건….

이 세상에 태양이
두 개일 수 없듯이,
진정한 천재는 한 사람일
수밖에 없기 때문이지!

불끈

문제는 녀석은
나에게 밀려 늘
2인자였던 거야.

그게 야마스카의
질투를 불러일으킨
거지.

…

성적은 야마스카가
더 좋았는데 무슨 소리를
하는 거야?

움찔

버럭

그래도 발명은
제가 더 잘했어요.

내 생각엔 네가
야마스카를 천재라고
인정하면 유물들을 되돌려
놓을 것 같구나.

움찔

지금 저보고
야마스카가 뛰어난
실력을 가졌다고
인정하란 말씀
이십니까?

설마 야마스카가
그런 유치한 이유로
그랬을까요?

유치하다니…

113

이 녀석들은 뭔가를 발명할 때마다 싸우는데, 이번엔 누가 먼저 타임머신을 만들었느냐를 가지고 싸우는 거야.

그게 얼마나 중요한 건데요.

지금 이 상황에서 그게 그렇게 중요해? 일본 역사가 통째로 뒤집히게 생겼는데.

불끈

중요해요!

야마스카가 먼저 타임머신을 개발한 걸 네가 인정하면 얌전히 유물을 돌려놓을 텐데.

그 전에 제가 꼭 잡아넣을 겁니다.

둘 다 천재인 건 사실인데,

뭔가 철없어 보여.

소곤

소곤

야마스카나 네 녀석이나 참 문제로다.

모두 스승님 제자인걸요.

네 이놈! 자꾸 말대꾸할래?

헉!

하루오 교수님이 왜 탐정님을 구박하시는지 알 것도 같아.

응.

똘망 똘망

흠, 흠!
차를 앞에 두고
내가 너무
흥분했구나.

옛날부터
전해내려온 '다도'를
잘 지키려고 했는데,
설록수 때문에
흐트러졌어.

다도요?

다도 찻잎 따기에서 달여 마시기까지의 과정과 동작을 체계화해 예법으로 만들고 마음을 수련하는 행위로 여겼다.

사진 출처 : Hotel Okura Macau

차를 마시는 공간인 다실과
차를 끓이고 담아내는 다기
까지도 중요하게 여겼지.

우아, 이런
찻잔도 소중하게
다뤘구나.

내가 너희에게
타준 건 티백이지만….
하하하!

일본에 차가 들어온 건
나라 시대의 일이야.

8세기경 중국 '당'에 유학을 갔던 승려들이 일본에 차를 들여왔다.

이때 차는 부처님께 공양하거나 스님들의 정신 수양을 위해서 사용했어.

헤이안 시대에는 귀족 문화의 하나로 다도를 즐겼지만 나중에는 무사들까지도 즐기게 됐지.

다도는 16세기 말에 '센노리큐'라는 사람이 완성시켰어.

센노리큐는 오다 노부나가와 도요토미 히데요시의 옆에서 다회를 주도하던 인물이다. 다회는 정치적, 상업적 목적으로 자주 열렸다.

그럼 차를 마시는 자리에서 중요한 일들을 결정했겠구나.

조심스러운 자리였겠어.

일본의 다도에는 '일기일회'라는 것이 있어서 주인과 손님의 만남은 일생에 한 번밖에 없는 소중한 기회라는 뜻을 예절로 표현한 거야.

一期一會
일기일회

그런 것을 잠시 잊고 내가 흥분했구나.

하하하. 교수님도 다혈질이셔서~

째릿 움찔

저녁이 다 되었으니까 식사하러 가자.

네~!

짜아안~

초밥이다!

어서 들거라.

117

일본 사람들은 어떻게 생선을 날로 먹을 생각을 했을까?

아무래도 섬나라라서 해산물이 많이 잡히다 보니 그런 거 아닐까?

과거 일본은 불교 국가라서 고기를 못 먹게 했어.

그래서 육류 대신에 생선을 다양한 맛으로 먹는 시도를 하게 된 거지.

초밥은 원래 환영받는 음식은 아니었어.

1964년 도쿄 올림픽 당시 미국에서는 초밥 때문에 일본의 올림픽 개최를 반대하는 여론도 있었지.

올림픽 위원회

생선을 날 것으로 먹다니! 야만족이에요!

그러나 80년대 이후 스타 요리사들이 초밥의 대중화를 위해 노력하면서 오늘날 전 세계적으로 사랑받는 음식이 되었단다.

여러 가지 초밥

저는 초밥도 맛있지만, 일본식 된장국도 맛있어요.

따끈 따끈

118

그러고 보니 식탁에 콩 요리가 많이 보이네요.

정말.

일본은 생선과 함께 콩이 단백질 공급원으로 요리에서 매우 중요하게 쓰였어.

특히 삶은 콩을 발효시켜 만든 낫토는 일본의 대표적인 음식이야.

낫토

어우, 퀴퀴한 냄새. 청국장 같아요.

맛도 이상해요.

낫토는 한국의 청국장만큼이나 건강에 좋은 콩요리다. 남기지 말고 먹어둬.

으윽…

설록수 너도 한 젓가락 뜨거라.

스승님, 제발 낫토만은…!

오늘은 시간이 늦었으니 이만 잠자리에 들고 내일 마저 이야기하자.

어? 바닥이 차갑지 않네?

방 바닥이 푹신하네요?

이건 다다미 라고 해.

다다미는 여름에는 방 안의 습도를 조절해 시원하게 해 주고, 겨울에는 단열성이 좋아 방 안을 따뜻하게 해 주지.

우아~!

다다미

등심초 껍질로 만드는 일본의 전통 바닥재이다. 헤이안 시대 때 방석으로 쓰기 시작한 다다미는 일본의 전통 실내 바닥재로서 방의 면적을 따지는 단위로 사용되었다. 다다미 한 장의 크기는 너비 90㎝, 길이 180㎝, 두께 5㎝가 표준이지만, 지방에 따라 크기 차이가 있다.

*등심초 : 골풀과의 다년생초. 줄기로 방석이나 돗자리 등을 만들기도 함

그래도 웃풍이 있으니 이불을 꼭 덮으세요.

고마워.

쿨~

탐정님, 이제 어떡하실 거예요?

뭘?

야마스카… 아니, 야마스카 아저씨를 잡아야죠.

후훗.

스승님이 우리 편을 들어 주기로 하신 이상, 야마스카는 내 손 안에 있는 거나 다름없어!

설록수, 네 이놈! 이 늦은 밤에 소리는 왜 질러?

어이쿠야. 귀도 밝으셔라.

그럴 줄 알았어요.

121

야마스카가 좋아하는 온천

다음 날

ㄷ ㄷ ㄷ

헉!

뭐야?

벌떡

온 세상이 흔들리고 있어!

ㄷ ㄷ ㄷ ㄹ ㄹ

할아버지!

괜찮으세요?

너희는 지진이 처음이겠구나. 이제 곧 멈출 거야.

어, 정말 멈췄다. 무서워서 죽는 줄 알았는데….

할아버지는 아무렇지도 않으세요?

일본은 지진이 자주 일어나는 나라거든.

지진이요?

일본은 환태평양 조산대에 속하기 때문에 지진이 자주 발생해.

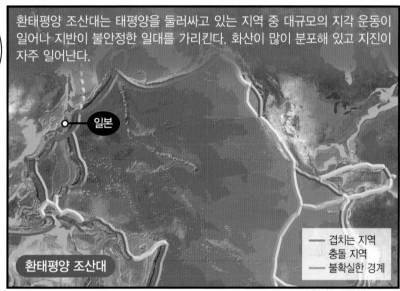

환태평양 조산대는 태평양을 둘러싸고 있는 지역 중 대규모의 지각 운동이 일어나 지반이 불안정한 일대를 가리킨다. 화산이 많이 분포해 있고 지진이 자주 일어난다.

일본

—— 겹치는 지역
충돌 지역
—— 불확실한 경계

환태평양 조산대

지도 출처 : 대양수심도위원회(GEBCO)

그래서 일본은 하루에도 몇 번씩 지진이 일어나기도 해.

무서워서 어떻게 살아요?

일본인은 지진에 익숙한 편이야.

흔 들

흔 들

어? 또 지진이네.

어떻게 그렇게 태평할 수 있어요?

겁이 없나 봐요.

하하하, 그럴 리가 있겠니?

작은 지진은 자주 겪어 익숙하지만 큰 지진이 일어나면 우리도 무섭다고.

엄청 큰 지진이 일어난 적이 있어요?

아무렴. 2011년 3월에 일어난 대지진은 엄청난 참사야.

동북 지방 태평양 연안 지진

2011년 3월 11일 일본 미야기 현 센다이 동쪽 해역에서 일어난 초대형 지진으로 일본 관측 사상 최대 규모이다. 지진 해일로 수만 명의 사망자와 실종자를 기록했다. 또 지진 피해로 후쿠시마 제1 원자력 발전소의 방사능이 유출되는 등 2차 피해도 우려되고 있다.

지진 해일에 휩쓸려 마을 건물 옥상까지 떠내려온 배

일본의 건물은 대부분 지진에 대비해 설계 되었어.

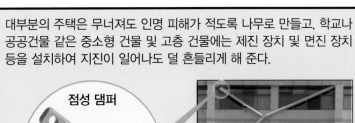

대부분의 주택은 무너져도 인명 피해가 적도록 나무로 만들고, 학교나 공공건물 같은 중소형 건물 및 고층 건물에는 제진 장치 및 면진 장치 등을 설치하여 지진이 일어나도 덜 흔들리게 해 준다.

점성 댐퍼

실린더
피스톤

점성 댐퍼는 실린더 내부에 특수 유체가 채워지는 구조로 지진이 일어났을 때 피스톤 운동으로 건물이 덜 흔들리게 해 준다.

사진 제공 : 테크스타코리아㈜

그밖에 지진에 대한 대비가 철저하기 때문에 사람들이 안심하는 거야.

왜 조금 전의 지진도 무서워하지 않는지 이해가 가요.

그래도 난 저런 지진이 일어난다고 하면 무서워서 못 살 것 같아.

나도.

하지만 지진이 많은 대신 따뜻한 온천도 많아.

보통 지진이 많이 일어나는 지역은 화산도 많이 생기지. 그래서 마그마 때문에 주변에 온천이 많이 생겨.

지하수

마그마

125

일본은 온천을 관광지로 활용하고 있지.

온천이라면 너무 좋아요.

음료수 마시면서 뜨끈한 물에 몸을 담그고 싶어.

원숭이들도 온천을 좋아해서 원숭이들이 모여 온천욕을 즐기는 곳에 원숭이 온천이라고 이름을 붙여 관광객을 모으기도 해.

사람 같아.

쟤들도 따뜻한 걸 좋아하는구나.

야마스카도 추위라면 질색을 해서 온천을 좋아한단다.

그게 정말 입니까?

쯧쯧…
필요한 얘기가
나오니까 바로
나서는구나.

저는 야마스카가
온천 좋아하는 줄
몰랐거든요.

정확히 말하면 추운 걸
싫어하는 거지.

그렇다면…?

야마스카의
기지는 추운
지방에는
없겠네요?

그렇지.

나는 충분한
힌트를 줬으니, 이제는
자네 몫이야.

꾸벅

감사합니다,
스승님!

미르, 와쑨을 불러라.
마당에 있을 거야.

빙글

네.

야마스카의
기지가 있을만한 곳을
생각해 보자.

와작

와작

에이,
심심해!

털썩─

설록수 녀석,
아무리 나보다 뒤떨어진다고
해도 그렇지 날 너무
못 찾는 거 아니야?

콰작─

아, 과자
부서지는데….

숨기고 도망치면
따라붙는 맛이
있어야지….

벌써
포기한 건
아니겠지?

저걸 정말로 확
부숴 버려?

불끈

아니야, 그랬다가는 스승님한테… 으~ 생각만 해도 끔찍해.

너 이 녀석!

에이~ 그럼 이 많은 것들을 다시 언제 제 위치에 갖다 놓지?

설록수가 나를 찾으면 내가 지는 거고,

이대로 날 못 찾으면 너무 심심하고….

가케루, 가케루~!

뭐? 갑자기 왜 그래?

가케루, 가케루!

저랑 놀아요!

그만하고 제대로 말로 해!

아야야!

딱

약

시장 가서 먹을 거나 사와.

힝~

툭!

이제부터 작전 회의를 하자.

야마스카가 따뜻한 지방을 좋아한다고 했으니까 기후부터 살펴보죠.

홋카이도

혼슈

시코쿠

규슈

전체적으로는 우리나라와 비슷한 온대성 기후인데, 국토가 남북으로 길어서 남쪽과 북쪽의 기후 차이가 커.

겨울에는 북서계절풍의 영향을 받는 서쪽이 동쪽에 비해 습하고 강수량이 많아지죠.

북쪽에 있는 홋카이도는 눈이 많이 내리는 추운 지방이다. 냉대 기후에 가깝고, 겨울에는 오호츠크 해 연안에서 유빙을 볼 수 있다.

홋카이도 오호츠크 해 옆을 달리는 기차

반면에 가장 남쪽에 있는 규슈는 난대성 기후에 가까워 따뜻하고, 비도 많이 오며, 연평균 기온이 16도 밑으로 잘 내려가지 않는다.

규슈 미야자키

그럼 아마스카는 홋카이도보다는 규슈 쪽에 있겠네요?

홋카이도 쪽이라고 해도 온천만 가까이 있으면 거기에 있을 수도 있어.

평소 옆 동네 가는 것도 귀찮아하는 녀석이 홋카이도까지 가서 추위를 피하려고 온천에 갈 것 같진 않구나.

그럼 그냥 따뜻한 데 숨어 있겠네요.

그리고 또 한 가지, 아마스카는 산을 싫어해.

그래요?

학생 시절, 등산을 좋아하시는 하루오 교수님이 등산 가자고 하면 전날부터 아픈 척을 했지.

헉!

헉!

설록수, 나 배아프다고 전해 드려.

엄살

오늘 점심까지 두 그릇 먹었으면서 그런 말이 통할 것 같냐?

하지만…

일본은 국토의 80퍼센트가 산이야.

늘 산을 피할 수는 없어서 녀석은 엄청 고생했지!

한때 친구였다는 게 신기해.

우리는 저러지 말자.

그러니까 산이 많은 중부 지방에도 없을 거야.

그럼 규슈 지역 해안으로 좁혀지네요.

또 한 군데. 더 남쪽인 오키나와에 있을지도 몰라.

우선 남쪽으로 가 보자!

네.

드르륵

와쑨, 타임머신은 다 고쳤어?

네.

132

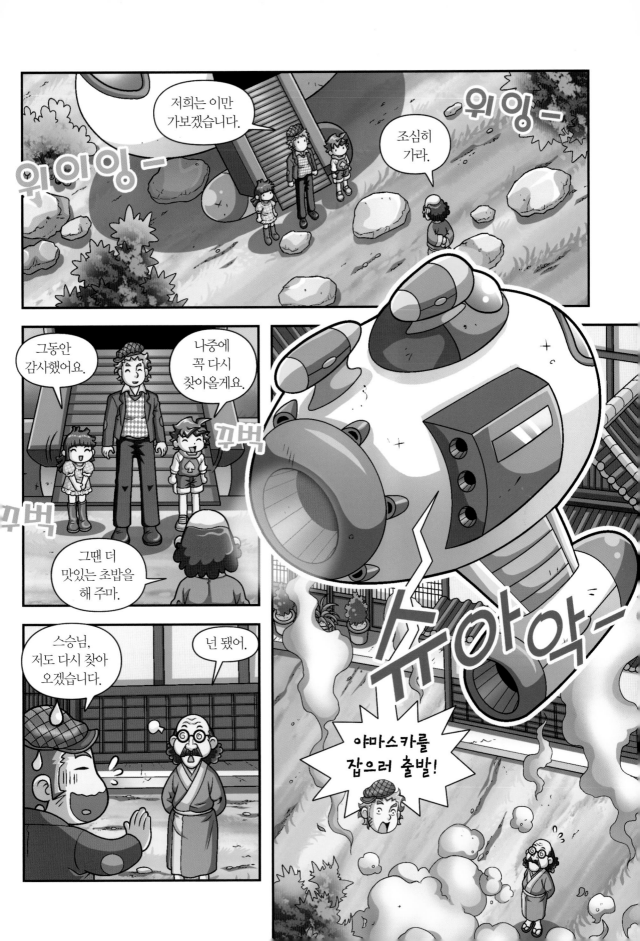

정말 산이 많네.

후지 산

그중에서도 휴화산인 후지 산은 일본에서 가장 높은 산이야. 일본의 상징으로 여겨지고 있지.

산이 많은 일본은 과거에는 농사 지을 평야가 부족해서 어려움을 겪었어.

일찍부터 척박한 환경에서 잘 자라는 작물을 재배했죠.

우리가 좋아하는 고구마도 일본에서 들여온 거야.

그렇구나.

대신 사방이 바다와 접해 있어서 생선과 해산물은 상대적으로 풍족했어.

어제 먹은 초밥도 맛있었어요.

바다와 가까워서 신선한 해산물이 많은 거구나.

지금 우리는 일본의 중부 지방을 지나고 있어.

속도를 높여서 곧장 규슈까지 내려가자.

네.

슈아앙

크하핫

결국 스승님은 내 편을 들어 주셨다. 각오해라, 야마스카!

설록수, 이 녀석…

결국 내 정원을 또 망가뜨렸구나.

휘~잉

전통문화와 현대 문화

이상한데?

위잉~

오키나와까지 왔는데도 레이더에 나타나는 게 없어.

삐ー

그럼 우리가 잘못 추리한 게 아닐까요?

그건 아니야. 야마스카는 분명 여기에 있어.

내려서 탐색해 보자.

치 이 익

주변을 철저히 살펴봐.

어?

저게 뭐야?

영차!

둥

와 아 아

영차!

둥 둥 둥

우와~!

축제가 열렸네.

와 아

오키나와의 하리 마쓰리 기간 이구나. 바다의 신께 감사를 드리는 전통 행사지.

마쓰리?

우아~!

헤~

마쓰리는 일본의 전통 축제를 말해.

* 하리 마쓰리 : 5월에 열리는 오키나와의 축제로 바다의 신에게 감사하며 안전을 기원함

일본의 대표적인 축제

도쿄 간다 마쓰리

매년 5월 14~15일 간다 신사에서 열리는 축제로 가마와 간다바야시, 무용수들이 어우러지는 거리 축제이다.

오사카 덴진 마쓰리

7월 24~25일에 신을 모신 가마를 배에 옮겨 싣고 떠다니는 배를 타고 진행한다. 약 100여 척의 화려한 배들이 강을 거슬러 올라가는 행사인 후나토교가 장관이다.

삿포로 유키 마쓰리

1950년부터 개최된 유키 마쓰리는 삿포로 지역에서 해마다 열리는 눈 축제. 세계 3대 축제로 불린다.

교토 기온 마쓰리

7월 16~17일에 펼쳐지는 축제로 약 1100년의 역사를 자랑한다. 868년에 교토 야사카 신사의 스사노우 신을 달래어 전염병 확산을 막기 위한 제사로 시작되었다.

* 간다바야시 : 흥을 돋우기 위해 피리, 북, 장구 등으로 반주하는 음악

그럼 저건 뭐예요?

아, 저기는 신을 모시는 사당인 신사란다.

신사요?

신사

신사(神社)는 일본 고유의 민족 종교인 신도(神道)에서 신령을 모시거나 부르는 곳이다. 신도는 업적을 세운 조상이나 자연의 신을 숭배한다. 일본에는 수많은 신에 대한 각각의 신사가 있으며, 역사적으로 이름난 인물들도 신처럼 신사에 모시는 경우가 많다.
옛날에는 경치가 빼어난 곳에 신사를 지었으나, 요즘에는 도심에 짓는 것이 일반적이다.

히로시마 현 하쓰카이치 시의 요모리 신사

어? 저게 뭐지?

잘 가지고 다녀.

네, 엄마.

저건 부적인데 일본어로는 '오마모리'라고 해.

시험에 합격하길 빌거나 교통 안전 등을 기원할 때 쓰여.

그런데 뉴스에서 일본 정치인들이 신사 참배를 했다고 우리나라와 중국에서 문제가 되고 있다던데요, 그건 왜 그래요?

아….

뉴스에 나오는 신사는 일본의 전쟁 영혼을 기리는 '야스쿠니 신사'를 말해.

야스쿠니 신사 도쿄에 있는 일본 최대의 신사. 나라를 위해 싸우다 죽은 영혼을 기리기 위해 세워진 신사지만 아시아 여러 국가들을 침략한 전쟁 주도자들도 이곳에서 신으로 모셔져 문제가 되고 있다.

신사 참배는 일본과 주변 아시아 국가들 사이에 남아 있는 역사적인 앙금이라고 할 수 있어.

그렇지만 지금 우리가 보는 이런 신사들은 일본의 전통문화로 이해하면 되는 거죠?

그럼~

끄덕

자, 그럼 이제 야마스카가 어디 있는지 찾아볼까?

저기 사람들이 많으니 저쪽을 한번 살펴볼까요?

야마스카 기지

여보세요?

야마스카냐?

헉!

스승님, 웬일로 전화를 주셨어요?

곧 설록수가 그쪽으로 갈 거다.

설록수에게 제가 어디 있는지 알려 주셨어요?

탁

알려 준 것 까지는 아니고, 힌트만 줬어.

어서 훔친 유물들을 제자리에 돌려놔.

또 설록수 편 드시는 거예요? 섭섭해요.

버럭

141

쩌렁

쩌렁

그럼 역사학 교수인 내가 유물사냥꾼인 네 녀석 편을 들겠냐?!

헉!

그러지 말고 좋은 말로 할 때 훔친 유물을 제자리에 가져다 놔라.

그럼 내가 설록수에게 널 경찰에 넘기지는 말라고 말해 주마.

됐어요!

이건 저와 설록수의 대결입니다.

어차피 오키나와까지 와도 여긴 못 찾을 거예요.

터억

그러니까 설록수에게 포기하라고 전해 주세요.

흥! 어디 찾을 수 있으면 찾아보라지!

와글 와글

하하.

야마스카는 못 찾았지만 여기 정말 신나요.

저도 정말 재밌어요.

스승님은 설록수만 예뻐해.

마쓰리를 보게 돼서 다행이에요.

난 바다에서 노 젓던 모습이 제일 기억에 남아.

조금 더 일찍 왔으면 히로사키 벚꽃 축제도 볼 수 있었을 텐데, 아쉽구나.

어머, 벚꽃!

히로사키 벚꽃 축제

일본 하면 벚꽃이지. 벚꽃이 일본의 나라꽃이죠?

아니거든?

일본엔 나라꽃이 없어.

네? 아니었어요?

끙

하지만 국화는 황실의 문장으로 사용하고 있지.

나도 일본 하면 떠오르는 게 벚꽃인데.

몰랐어요. 하지만 벚꽃도 일본의 상징 아닌가요?

물론 벚꽃도 일본을 대표하는 꽃이야.

그래서 여기 100엔짜리에는 벚꽃 그림이 들어가.

짜 안

와쏜, 이참에 아이들한테 일본 화폐를 좀 알려 줄까?

네.

그러고 보니 일본 화폐를 눈여겨보지 않았어.

일본 화폐에는 어떤 그림들이 들어가 있을까?

일본의 화폐

1엔 1870년에 처음 발행되었고, 어린 나뭇가지가 그려져 있다.

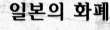

5엔 1871년에 처음 발행되었고, 농업과 공업을 상징하는 벼와 톱니바퀴가 그려져 있다.

10엔 1871년에 처음 발행되었고, 뵤도인 봉황당이 그려져 있다.

50엔 앞면에는 국화가 새겨져 있고, 가운데에 구멍이 뚫려 있다.

100엔 1957년 처음 발행되었고, 가장 사랑받는 벚꽃이 새겨져 있다.

500엔 1982년에 처음 발행되었고, 오 동나무가 새겨져 있다.

1000엔 앞면에 세계적인 세균학자 노 구치 히데요 초상화가 있고, 뒷면에는 후지 산과 벚꽃이 그려져 있다.

5000엔 앞면에 근대 소설가 히구치 이치요가 그려져 있고, 뒷면에 화가 오 가타 고린의 〈제비붓꽃〉이 그려져 있다.

10000엔 앞면에 게이오 대학의 창립 자인 후쿠자와 유키치가 그려져 있고, 뒷면에 뵤도인의 봉황상이 있다.

* 2000엔짜리 지폐는 2000년을 기념하기 위해 제작되었으나, 실제로 많이 쓰이지는 않는다.
* 뵤도인(平等院) : 평등원. 교토 우지 시에 있는 불교 사원

공부를 위해서 일본 화폐를 하나씩 갖고 싶어요.

벌써부터 그러면 못 써~!

딱

어? 음악 소리가 들려.

아, 축제 행렬이구나. 그러고 보니 일본에서는 거리에서 음악 연주하는 걸 자주 볼 수 있다고 들었어.

축제가 아니더라도 말이지?

빰 빠 라 빠

둥 둥

응. 공원이나 길거리에서 악기를 연주하고 노래 부르는 사람이 많대.

원래 일본인은 음악을 좋아하는 편인가요?

이렇게 즐기는 사람이 많은 걸 보니 그런 것 같아요.

한국이나 중국에 비해 유교 문화가 큰 영향을 미치지 않았던 일본은 예술하는 사람을 무시하는 풍토가 다소 약했고, 이는 음악 발달로 이어지게 되었다.

삐리리

일본의 전통 음악이 한국이나 중국에 비해 독보적으로 발달한 편이라고 할 수는 없지만, 근대 이후로는 양상이 달라졌지.

다른 나라와 교류를 하지 않았던 우리나라와는 달리, 일본은 서양과 적극적인 교류를 하면서 그들의 음악도 받아들이게 됐어.

이게 악보란 겁니까?

일본은 아시아에 있는 나라 중 가장 빨리 서구화가 되었기 때문에 일찍부터 서양 음악을 듣는 사람들이 많았다.

와아~ 짝짝 와아~ ♩♪~♩

그러다 보니 다른 아시아 국가들에서는 여러 가지 다양한 음악에 빨리 익숙해진 편이지.

또 자유로운 거리 공연 문화가 발달해서 실력 있는 예술가가 배출되는 밑거름이 되었다.

거리에서 연주하는 사람들

현재는 미국에 이어 세계 2위의 음악 시장을 가진 국가로 발돋움했단다.

그 정도일 줄은 몰랐어요.

규모가 규모인 만큼, 세계적으로 유명한 음악가도 무척 많아.

그럼 일본은 음악 선진국이네요?

맞아. 부럽다.

일본의 현대 대중 음악이 상당한 수준인 건 사실이지만 음악 시장이 크다고 해서 그 나라의 음악이 앞선 음악이라고 할 수는 없어.

저마다 훌륭한 점이 있다고 말씀하시려는 거죠?

하하. 아미가 눈치가 빠른데?

일본의 만화책이나 애니메이션 산업도 세계에서 손에 꼽힐 정도야.

제가 아는 만화는 《개구리 중사 케로로》나 《뽀롱뽀롱 뽀로로》, 《포켓 몬스터》 정도인걸요.

뽀로로는 우리나라에서 만든 거지만 케로로나 포켓 몬스터는 일본에서 만든 애니메이션이야.

우아, 그런 줄 몰랐어요.

뽀로로

케로로

일본 애니메이션은 만화책을 기본으로 한 것이 많아요.

《Why?》처럼 책으로 나온 걸 애니메이션으로 만들었단 말이야?

네. 일본에서 만화를 본격적으로 그리기 시작한 건 서양의 문물을 받아들인 메이지 시대부터였어요.

1862년에 영국인이 《재팬 펀치》라는 잡지를 창간한 것을 시작으로 많은 만화가 그려졌다. 하지만 다이쇼 시대까지의 만화는 대부분이 시사 풍자 만화나 계몽 만화였다.

THE JAPAN PUNCH
YOKO·HAMA.
1878 July

1940년대에 등장해 일본 만화의 기초를 잡은 사람이 '데즈카 오사무'예요.

처음 듣는 이름인데?

데즈카 오사무는 몰라도 '아톰'은 알지?

어머! 아톰을 그린 사람 이었어요?

데즈카 오사무(1928~1989년)

일본의 만화가이자 애니메이션 제작자이며 오늘날 일본 만화의 기초를 다졌다. 대표작으로는 《밀림의 왕자 레오(정글 대제)》, 《아스트로 보이 아톰(철완 아톰)》, 《리본의 기사(사파이어 왕자)》 등이 있다.

이후 일본 만화는 엄청난 인기를 끌며 전 세계인의 사랑을 받았어.

데즈카 오사무의 제자인 후지코 후지오가 그린 《도라에몽》은 아직도 텔레비전 시리즈로 방영되고 있지.

《내일의 죠》, 《베르사유의 장미》, 《닥터 슬럼프》, 《드래곤 볼》, 《슬램덩크》, 《포켓 몬스터》, 《짱구는 못 말려》 같은 만화도 엄청난 사랑을 받았고요.

극장용 애니메이션으로 제작된 스튜디오 지브리의 작품은 어른들도 굉장히 좋아해.

스튜디오 지브리 미야자키 하야오, 다카하타 이사오 등의 감독을 중심으로 《모노노케 히메》, 《이웃집 토토로》, 《센과 치히로의 행방불명》, 《하울의 움직이는 성》, 《마루 밑 아리에티》 등의 작품을 제작했다.

《이웃집 토토로》

* 후지코 후지오 : 처음에는 후지모토 히로시와 아비코 모토가 후지코 후지오라는 이름으로 함께 활동을 했으나 1987년에 후지모토 히로시 혼자 '후지코 F. 후지오'라는 이름으로 활동했음

본 적이 있는 만화들인데, 일본에서 만든 건 줄은 몰랐어요.

일본의 영화도 만화와 마찬가지로 메이지 시대에 만들어지기 시작했어.

영화도 유명한가요?

일본은 1896년부터 영화를 만들기 시작했는데, 초기에는 소리가 없는 무성 영화였어.

유성 영화는 1930년대부터 만들어졌어요.

짝 짝 짝

짝 짝 짝

일본 영화를 전 세계에 알린 작품은 1950년에 구로사와 아키라가 만든 《라쇼몽》이다. 이 작품은 1951년 베네치아 국제 영화제에서 황금 사자상을 수상했다.

이 영화를 계기로 서양인들은 일본 영화에 주목하기 시작했죠.

일본 영화 산업은 어려운 고비들도 있었지만 그들만의 독특한 감성을 담아내는 영화로 꾸준한 사랑을 받고 있어.

소설을 원작으로 한 《러브 레터》, 《세상의 중심에서 사랑을 외치다》, 《지금 만나러 갑니다》 같은 작품이 있어요.

* 베네치아 국제 영화제 : 매년 8월 말~9월 초에 이탈리아 베네치아에서 열리는 영화제. 1932년에 시작되었고 가장 오랜 전통을 지니고 있음

만화처럼 소설도 영화로 만들었구나.

그럼. 영화로 만들 만큼 뛰어난 문학 작품들이 얼마나 많은데.

제가 몇 가지 일본 문학 작품을 소개해 드릴게요.

일본의 문학 작품

일본 문학은 일본 고유의 정형시인 '와카(和歌)'의 발달로 시작되었으며, 이후 산문 형태의 일기 문학이 형성되었다. 중세에는 귀족 문화와 서민 문화가 결합한 형태로 문학이 발전해, 에도 시대 무렵에는 서민 문학이 확대되었다. 메이지 유신 이후에는 서양 문화를 받아들여 개인주의적이고 자유주의적인 근대 문학이 탄생했다.

마쿠라노 소시

《겐지모노가타리》와 함께 대표적인 일본 고전 문학으로 손꼽는다. 헤이안 시대 궁녀인 세이 쇼나곤이 일상사를 기록해 둔 것으로 일본 최초의 수필이다.

이불

1907년에 발표한 다야마 가타이의 소설이다. 《파계》와 함께 일본 자연주의 문학의 대표작으로 꼽힌다. 개인의 신변에 관한 이야기를 풀어나가는 '사소설'이라는 일본의 독특한 소설 장르를 처음으로 연 작품이기도 하다.

만연원년의 풋볼

1967년에 발표한 오에 겐자부로의 장편 소설로 1994년에 노벨 문학상을 수상했다. 산골 마을에서 100년 전에 일어난 민란을 소재로 쓴 작품이다.

파계

1906년에 발표한 시마자키 도손의 장편 소설이다. 사실적이며 비판적인 내용으로 일본 자연주의 문학의 대표작이다.

설국

1948년 발표한 가와바타 야스나리의 장편 소설로 1968년에 일본 최초로 노벨 문학상을 수상했다. 남자 주인공이 기생에게 끌려 니가타의 온천장을 세 번이나 찾아가는 이야기를 서정적으로 그려냈다.

1968년 일본 최초로 노벨 문학상을 수상한 가와바타 야스나리(제일 오른쪽)

여기까지 온 김에 서점 구경도 하고 가요.

그럼 난 만화책 살래.

책 사는 건 상관 없지만 일본어로 쓰여 있을 텐데?

아, 그렇구나. 깜박했네.

아니, 저기 서점 앞에!

가케루잖아?

랄 랄 랄

가서 잡을까요?

아니, 잡진 말고 이대로 야마스카의 기지까지 미행한다.

네.

살금 살금 루루

엄마, 저기 로봇이 걸어다녀.

깜짝

빨리 타임머신으로 쫓아가자.

이제 못 쫓아오겠지?

아톰 같은데?

우와~ 비행기다.

지이잉

가게루가 저 앞에 있다!

저 녀석들이 여기는 어떻게 알고 쫓아온 거지? 얼른 야마스카 님께 알려야 해.

흠… 저기가 야마스카의 기지인가 보군.

최후의 결전

설록수가…!

뭐? 설록수?!

어떻게 된 거야? 하루오 스승님도 정확한 위치는 모르시는데!

좀 전에 시장에서 마주쳤는데 아무래도 저를… 미행….

그러니까 조심해야지!

켁!

따끔

허겁지겁

이럴 때가 아니야! 빨리 도망치게 유물들을 챙겨!

설록수 녀석에게 잡힐 수는 없다.

불끈

다 가져갈 수 없으니, 중요한 것만 챙겨.

불룩

불룩

맙소사. 도둑맞았던 세계의 명화들이 여기에 있었군.

여기가 야마스카의 비밀기지인 게 틀림없어.

탐정님! 저것 좀 보세요.

야마스카가 일본 역사 속에서 훔쳐 온 보물들 이구나.

일본의 국보인 목조미륵보살반가 사유상도 있어.

일본의 국보요?

일본의 불상 중에서도 제일 유명하지.

우아.

목조미륵보살 반가사유상

7세기에 만들어진 높이 123.3cm, 폭 84.2cm의 목조 불상으로, 교토 고류지에서 보관하고 있다. 적송 한 토막을 깎아 만든 것으로, 발전된 단계의 목조 기술로 제작되었다.

독일의 철학자 야스퍼스는 이 불상을 가리켜 이렇게 말했어.

"고대 그리스나 고대 로마의 그 어떤 조각 예술품과 비교할 수 없을 정도로 매우 뛰어난, 감히 인간이 만들 수 없는 살아 있는 예술미의 극치이다."

칼 야스퍼스(1883~1969년)

그런데 어디서 많이 본 것 같은데?

나도….

대한민국의 국보 제83호 금동미륵보살반가사유상 말이죠?

어, 맞아.

옛날에 우리나라의 영향을 받았다더니 그래서 닮았나 봐.

그러게. 전에 본 도자기도 우리나라 도자기랑 비슷하게 생겼잖아.

일본은 전통적으로 '이이토코토리'라고 해서 남의 것을 배워 자신의 것으로 만드는 정신이 전해져 온다.

저렇게 하는 거구나!

* 고류지(廣隆寺): 광륭사

이 정신이 뿌리박혀 있어서 일본인은 남을 따라하며 배우는 것을 부끄럽게 생각하지 않아.

네가 나보다 잘 만드니까 그대로 따라해 봤어.

똑같네?

그리고 어떤 나라든지 다른 나라의 영향을 받지 않는 경우는 없으니까.

따지고 보면 우리나라도 중국을 비롯해서 여러 나라의 영향을 받았잖아.

그러면서 우리만의 수준 높은 문화를 이룩했고!

훌륭한 모방이 훌륭한 창조를 만들어내는 법이지.

이밖에도 유명한 유물들이 많이 있어. 와쑨, 자료를 보여 줄래?

네.

지이잉

와쑨에게는 유물들의 정확한 정보가 들어 있거든.

역시~!

일본의 대표 유물과 유적

오사카 성

구마모토 성, 나고야 성과 함께 일본 3대 성 중 하나다. 1583년 도요토미 히데요시에 의해 지어졌다. 오사카 성의 천수각은 전투와 낙뢰로 두 번이나 소실되었다가 1931년 세 번째로 천수각을 재건해서 오늘날에 이르렀다.

뵤도인 아미타여래 좌상

교토에 위치한 뵤도인 봉황당에 있는 아미타여래좌상은 일본 불상 중에서도 최고로 꼽힌다. 헤이안 시대 후기 1053년에 만들어졌으며 목조에 칠박을 한 높이 278.8cm의 불상이다.

가마쿠라 대불

가마쿠라 고도쿠인에 있는 높이 약 11m, 무게 121t의 거대한 불상으로 원래 이름은 동조아미타여래좌상이다. 1238년부터 1247년에 걸쳐서 만든 목조 불상인데, 태풍으로 인해 파괴되었다. 그 뒤 1252년에 다시 청동으로 제작한 것이 지금의 불상이다.

다이센 고분

오사카 사카이에 있는 다이센 고분은 길이 486m, 너비 305m이다. 앞이 방형이고 뒤가 원형인 고분으로 일본 최대 규모이다. 삼중의 해자가 고분을 둘러싸고 있으나 바깥쪽의 해자는 메이지 시대에 다시 파서 만든 것이다.

조몬 시대 토우

눈이 유난히 강조되어 있는 독특한 형태의 토우는 조몬 시대의 유물 중에서도 차광기 토우라고 부른다. 다산이나 풍요, 건강을 기원하는 주술적 의미로 사용된 것으로 보인다.

야쿠샤에

일본 우키요에의 대표 작가 중 인물화로 유명한 도슈사이 샤라쿠의 작품이다. 배우 오타니 오니지를 그린 것으로 가부키 화장을 한 배우의 강렬한 표정이 인상적이다.

* 고도쿠인(高德院) : 고덕원

가케루가 이동합니다.

아차, 이러고 있을 때가 아니지.

삐—

우리가 침입한 걸 눈치 챈 게 틀림없어!

타다닷

벌컥

야마스카!

벌… 벌써 왔네?

멈칫

후후. 너무 흥분하지 말라고, 셜록수. 용케 여기까지 왔군.

후우웃…

순순히 보물들을 내놔. 타임머신은 내가 먼저 발명했다는 것도 인정하고.

지금 그게 중요한 게 아니잖아요!

술래잡기는 술래가 도망치는 사람을 잡아야 끝나는 거야.

가라, 가케루!

이얍!

타악!

와쑨!

팟

파파팍

이번에야말로 결판을 내자!

팍

바라는 바다!

가케루, 빨리 제압해!

와쑨, 이겨라!

와쑨, 힘내!

투탁

투꾜

이럴 때가 아니지. 야마스카는 제가 잡을게요.

그만 둬!

휘익-

163

이런 배 나온
아저씨쯤은 나도!

어?

터억

어디
어른한테 주먹을
휘두르냐!

아야!

화악

얍!

으악!

팍

아야!

헉!

쿵-

이 여자애는 만만치
않은걸?

난 아까부터 계속 여기에 있었는걸?

이, 이게 어떻게 된 거야?

스승님!

깜짝

내가 이 나이 먹고 네 녀석들 때문에 이런 고생을 해야겠느냐?

스승님!

쭉

하

네 녀석 하는 짓이 하도 괘씸해서 내가 직접 나섰다.

아야!

딱

네가 이리저리 뛰어다녀 준 덕에 경찰을 부를 시간도 벌었어.

이런!

타다닥

일본 문화재 보호부

아이고~ 설 탐정님 수고 많으셨습니다.

일본을 위해 큰일을 해주셨습니다.

소중한 역사를 훼손하는 걸 보고 있을 수가 없었죠. 해야 할 일을 했을 뿐입니다.

그보단 자존심 싸움이 더 중요해 보이셨는걸요?

특별히 설 탐정님과 아이들의 노고에 감사드리기 위해 오신 분이 계십니다.

누구…?

일본 총리대신 이십니다.

스으윽-

총리대신이라고요?!

벌떡

아주 큰일을 해주셨다고 들었습니다. 진심으로 감사 드립니다.

안절

부절

별말씀을요. 하핫….

설록수 탐정님이 왜 저러시지?

속닥 속닥

대단한 사람인가?

총리대신은 일본에서 가장 높은 사람 이에요.

천황이 아니고?

천황은 실제로 정치에 참여하지 않습니다. 권력을 가진 사람 중 가장 높은 사람은 총리대신 입니다.

그럼 총리대신은 대통령 같은 거야?

그것과는 좀 달라요.

대한민국은 대통령제, 일본은 의원 내각제 입니다.

의원 내각제란 의회가 법을 만드는 것은 물론, 법을 집행하는 행정까지 도맡아 책임지는 정치 제도를 말합니다.

일본의 의원 내각제

의회 다수당의 대표가 내각의 지도자이며 입법권과 행정권이 융합되어 긴밀한 관계를 이룬다.

내각은 의회를 해산할 수 있고, 의회는 내각에 대해서 불신임권을 행사할 수 있다.

내각의 관료와 국회의원을 겸할 수 있다.

한국의 대통령제

입법, 사법, 행정의 삼권이 엄격히 분리되어 있고 정부와 국회는 대등한 관계이다.

정부는 국회의 해산권이 없으며, 국회도 정부에 대해 불신임권을 가지고 있지 않다.

행정부의 관료는 국회의원을 겸할 수 없다.

의원 선거에서 승리한 정당이 다수당이 되어 우리나라의 대통령에 해당하는 총리를 배출합니다.

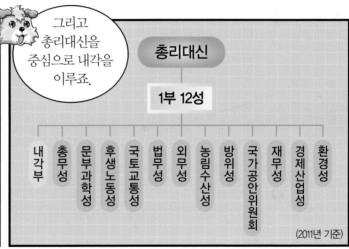

그리고 총리대신을 중심으로 내각을 이루죠.

총리대신

1부 12성

내각부 / 총무성 / 문부과학성 / 후생노동성 / 국토교통성 / 법무성 / 외무성 / 농림수산성 / 방위성 / 국가공안위원회 / 재무성 / 경제산업성 / 환경성

(2011년 기준)

의원 선거에서 승리한 다수당이 법을 만들고, 그 법을 집행하는 일도 다 하게 된다는 말이에요.

다수당이 북 치고 장구 치죠.

그 말은 다수당이 되면 정치를 그 정당이 마음대로 다 할 수 있단 뜻이네?

정당의 힘이 세지는 건 사실입니다.

다수당이 의회와 내각을 좌지우지하기 때문에, 일본은 그동안 집권당인 자민당이 통치해 왔습니다.

자민당

하지만 2009년 8월 30일에 치러진 총선에서 민주당이 자민당을 누르고 일본의 다수당으로 올라섰다. 다수당은 총선을 할 때마다 언제라도 바뀔 수 있기 때문에 임기 동안 정치 안정에 힘써야 한다.

민주당

자민당

다수당이 되면 의회만 바뀌는 게 아니라,

내각까지 바뀐다고 했으니 일본 정치가 확 변했겠네?

어린 친구들이 일본 정치에 관심이 많구나?

깜짝

잘 몰라서 배우고 있었어요.

굴쩍

저도요.

궁금한 게 있으면 물어봐도 좋아.

하하하

172

정치 제도는 한국과 다르지만, 일본도 한국과 마찬가지로 헌법에 따라 주권은 국민에게 있어.

메이지 유신 때 천황을 중심으로 입헌 군주제를 실시했다고 했지? 그때 헌법이 만들어졌어.

우아, 그렇게 오래 됐어요?

하지만 그때 만든 헌법과 지금의 헌법은 달라.

1889년에 독일의 헌법을 보고 만든 '대일본제국헌법'은 메이지 천황이 제정했다. 이후에는 영국의 헌법을 모델로 만들었다.

현재 일본이 채택하고 있는 헌법은 1946년 제정된 것으로 제2차 세계 대전에서 진 후, 미국 헌법의 영향을 받아 만들었다.

이 헌법은 1946년에 만들어진 이후 한 번도 개정되지 않았어요.

일본 헌법은 '평화 헌법'이라고 부르기도 해.

* 주권 : 국가의 의사를 결정하는 권력
* 우리나라의 헌법은 1948년에 처음 만들어졌으며 지금까지 아홉 차례에 걸쳐 개헌되었다.

헌법 제9조에 전쟁을 포기하고, 전력을 가지지 않고, 병력을 가지고 싸우지 않는다고 쓰여있거든.

우아, 그럼 어떤 상황에서도 전쟁을 하지 않겠다는 거네요?

전쟁 때문에 많은 아픔이 있었으니 서로 상처를 주는 건 막아야 하지 않겠니?

꼭 그렇게 해 주세요!

많은 전쟁을 보고 가슴이 아팠는데, 정말 다행이에요!

깜짝

만나서 반가웠다. 같이 점심을 먹고 싶지만 일정이 있으 먼저 일어나야 겠구나.

스윽

하하~

총리대신과 저렇게 편하게 악수를 하다니.

역시 아이들은 천진난만해요.

참, 되찾은 유물은 언제 돌려놓을 건가요?

내일 바로 출발 하겠습니다.

경찰 측에서 야마스카에게 진술서를 받아서 어느 시대에 어디서 훔쳤는지 기록을 해두었답니다.

그것 참 잘됐네요.

그럼 이제 야마스카는 어떻게 되는 거죠?

감옥에 가는 거죠, 뭐! 그런 나쁜 녀석!

야마스카, 네가 끓인 이 라면 정말 맛있다.

많이 먹어.

저, 총리대신. 한 가지 부탁을 드려도 될까요?

얼마든지요!

일본의 역사를 구한 영웅의 부탁인데 뭐든지 들어 드려야죠.

어려운 부탁이지만 꼭 들어 주셨으면 합니다.

침울

가케루, 미안하다.
나 때문에 너도
고생하는구나.

아니에요.

훌쩍

이게 다
설록수 때문이야.
녀석한테 지다니.

부들
부들

턱—

둘 다 따라나와!

뚜벅
뚜벅

깜짝!

설록수?

내 비참한 꼴을
구경하러 왔어?

똥알
똥알

헛소리
하지 마.

철컥

네가 훔친 유물들을
제자리에 돌려놓으면
풀어 주기로 했어.

무?

물론 거기에
또 한 가지
조건이
있어.

더 가까운 나라로

앞으로 정의를 위해 봉사하겠다고 약속해.

하지만….

이 상황에 뭘 고민하는 거야?

너는 일본의 역사를 송두리째 망쳐놓을 뻔했어. 특별히 옛정을 생각해서 총리대신께 부탁한 거란 말야.

설록수 네가 나를 위해?

네. 탐정님이 직접 부탁 하셨어요.

그러니까 이제 나쁜 짓은 그만 두세요.

유물 사냥꾼인
내가 그 일을
그만두면 무슨
재미로 살지?

대신 일본 정부에서 네 능력을
높이 평가해서 역사 지킴이로
임명하고 싶다고 하더군.

우아!

내가 타임머신을 타고
일본 역사 유물들을
지킨단 말이지?

가케루, 그것도
꽤 재밌을 것
같지 않니?

네~!
좋아요!!

그리고 말야…

삘떡

그동안 서운하게 한 건
미안하다. 다시 예전처럼
친하게 지냈으면 좋겠어.

쑥

친구야, 고맙다!

와락

며칠 뒤

유물들이 다시 돌아왔대.

그래서 박물관에 오자고 한 거야?

응.

야마스카 아저씨는 다른 나라의 잃어버린 보물들도 찾아 주기로 하셨대.

도둑 마음은 도둑이 잘 안다고, 능력을 발휘 하시는구나.

씨 익

저기 우리가 메이지 시대 때 봤던 도자기다.

저것도 본 기억이 나.

웅성

웅성

어쨌든 사건을 해결 해서 다행이야.

정말 아슬아슬했어.

어? 저기 봐!

척

하루오 교수님이야. 유물들이 돌아오니 바쁘신가 봐.

그래서 이 도자기는...

멋있다.

우리도 이제 집에 가야지.

정들었는데 떠나려니 왠지 아쉬워.

아무튼 잘 됐다. 일본 역사도 바뀌지 않았으니까.

일본 역사는 우리나라 침략한 것밖에 몰랐는데, 이번 사건을 통해서 참 많이 알게 됐어.

나도.

그런데 설록수 탐정님은 어디 계시지?

맙소사….

지난 번 타임머신이 이륙할 때 하루오 교수님네 마당이 망가져서 다시 복구하고 오셨다고요?

말도 마라.

지난 며칠간 영웅 대접 받은 걸 싹 잊어버릴 만큼 고생했어.

저도 기름칠 다시 해야 할 정도로 일했습니다.

그래도 이번에 일본이라는 나라에 대해서 잘 알게 돼서 정말 좋았어요.

저도요.

다행이야.

역사적으로 일본과 한국은 분명 지울 수 없는 상처를 주고 받은 사이지만,

식민통치

두 나라는 가장 가까운 이웃나라로서, 앞으로 서로서로 돕고 살아야 해.

미우나 고우나 바로 옆집.

잘 부탁 합니다.

그러려면 두 나라가 해결해야 할 문제가 아직도 많아.

해결해야 할 문제요?

가장 민감한 독도 문제를 비롯해서…

독도는 우리 땅!

무슨 소리!

역사를 왜곡한 교과서 문제, 위안부에 대한 사과와 보상 문제, 야스쿠니 신사 참배 문제 등이 있지.

우리가 생각했던 것보다는 아직 일본과 우리나라 사이에 문제가 많군요.

나는 일본 친구들이 좋은데….

차근차근 노력이 필요하지 않겠니?

다행히 한국과 일본의 젊은이들은 여러 나라의 문화를 많이 경험한 덕분에 기성세대에 비해서 서로에 대한 반감이 적은 편이야.

난 한국인이야. 만나서 반가워.

난 일본인이야. 잘 부탁해.

가장 중요한 건 국적에 상관없이 서로를 이해하는 마음인 것 같아.

옳소!

한국과 일본이 이웃나라이자 동반자로서 서로 계속 노력 한다면…

두 나라는 반드시 가깝고도 또 가까운 사이가 될 거야!

화기

애애

집에 다 왔다.

슈우우

아, 오랜만에 집에서 엄마가 해준 밥을 실컷 먹겠구나!

이제 편히 쉴 수 있겠어.

이 녀석들, 여기서도 우리를 기다리는 사건이 많을 텐데, 긴장해라.

응?

휙

야마스카?
타임머신이
바뀌었네?

이번에 역사 탐정으로 직업을
바꾸면서 개발한 신형 타임머신이다!
과연 네가 날 따라잡을 수 있을까?

야마스카!

도전이라면 받아 주겠다!

탐정님, 제발요.

친구끼리 자존심 싸움은
이제 그만 하세요~!

일본의 축제와 기념일

일본은 다양한 신을 모시는 만큼 많은 기념일이 있어요. 정월이 되면 신사에서 기원을 하기도 하고, 시치고산에는 아이들이 건강히 자란 것에 감사의 기도를 드리기도 하지요. 우리의 기념일과 비슷하면서도 다른 일본의 축제와 기념일에 대해 알아볼까요?

정월 1월 1일

한해를 시작하는 설날을 일본에서는 정월이라고 부르는데 일본어로는 '오쇼가쓰'라고 합니다. 정월이 되면 신사나 절에 찾아가 새해 첫 참배(하쓰모오데)를 하면서 가족의 건강과 행복을 기원합니다. 소나무와 대나무를 엮어서 만든 '가도마쓰'를 현관 앞에 장식하고 신을 맞이할 준비를 합니다. 또 등자 열매, 다시마, 새우 등을 달아서 만든 '시메나와'라는 끈 새끼를 현관에 걸어두기도 하는데 이는 악귀를 쫓고 가족의 건강과 가정의 평안을 기원하는 의미입니다. 유자 잎이나 등자 열매를 얹어 장식한 '가가미모치'라는 떡을 만들어 신에게 바치는데 1월 11일이 되면 이 떡을 갈라서 먹는 풍습이 있습니다.

하쓰모오데

가가미모치　　가도마쓰

세쓰분 2월 3일경

원래는 입춘, 하지, 입추, 입동의 전날을 말하는데, 이 중 입춘을 가장 중요하게 생각하기 때문에 입춘 전날의 세쓰분을 가장 중시합니다. 이날은 '마메마키'라고 하는 콩을 뿌리는 행사를 합니다. 한 사람이 도깨비 탈을 쓰면 그 사람에게 콩을 뿌려 귀신을 물리쳐서 재해나 병에 걸리지 않기를 기원하고 한해의 행복을 기원합니다. 이 때 뿌려진 콩은 자기 나이만큼 먹습니다. 콩을 뿌릴 때는 "귀신은 밖으로, 복은 안으로!"라고 외칩니다.

마메마키

히나 마쓰리 3월 3일, 단오절 5월 5일

중국의 풍습이 일본에 전해져 에도 시대부터 여자 어린이의 건강과 행복을 기원하는 히나 마쓰리가 행해졌습니다. 어린 딸을 둔 가정에서는 예쁘게 꾸민 히나 인형과 과자, 떡, 복숭아 등을 붉은 천이 깔린 단 위에 장식합니다.

단오절은 히나 마쓰리와 마찬가지로 남자 어린이의 건강과 행복을 기원하는 날입니다. 아이가 용맹하게 자라라고 창포잎을 넣은 창포 탕에서 목욕을 시키고, 종이나 천 등으로 잉어 모양을 만들어 기처럼 장대에 높이 다는 고이노보리를 올립니다.

히나 인형 단 히나 마쓰리에 여자 어린이의 건강과 행복을 기원하는 히나 인형을 올려둔 붉은 천을 깐 단상

고이노보리 단오절에 남자 어린이가 건강하고 행복하게 성장하기를 기원하기 위해 잉어 모양을 만들어 세우는 기

오봉 7월 15일

백중절이라고도 하며 죽은 영혼이 가족을 찾아온다고 해서, 돌아가신 조상님을 공양하는 명절입니다. 조상님의 영혼이 등불을 의지해서 찾아온다고 여겨 13일에는 맞이하는 등불을 켜고, 16일에는 되돌려보내기 위한 등불을 밝힙니다. 우리나라의 강강술래와 비슷한 '봉오도리'라는 춤을 추기도 하며, 조상의 묘지를 찾아가 꽃을 꽂고 공양하기도 합니다.

시치고산 11월 15일

남자 어린이는 3살과 5살, 여자 어린이는 3살과 7살이 된 해의 11월 15일에 건강하게 잘 자란 데 대한 감사와 앞으로의 행복을 기원하기 위해 참배하러 신사에 갑니다. 시치고산에서 시치는 일본어로 7, 고는 5, 산은 3이기 때문에 시치고산이라고 합니다.

남자아이는 '하오리'라는 무릎까지 내려오는 윗옷과 '하카마'라는 바지를 입고, 여자아이는 '기모노'에 화려한 '오비'를 답니다. 오비는 허리에 매는 끈을 말합니다.

기모노에 오비를 맨 여자아이

하오리와 하카마를 입은 남자아이

물 위에 띄운 등불이 정말 예뻐.

오봉 때 환하게 밝혀진 등불

일본의 자연·문화 유산

섬나라 일본은 지리적인 특성 때문에 주변 나라들에 비해 문명 발달 속도가 빠르지 않았지만 독특한 형태의 문화가 많이 발달했답니다. 그중에서 세계적으로 큰 가치를 인정받은 자연 문화 유산을 자세히 살펴볼까요?

히메지 성

혼슈의 효고 현 히메지 시에 있는 히메지 성은 17세기 초 일본 성곽 건축의 중요한 특징을 잘 보존하고 있습니다. 지붕 모양이 날개 같고 벽이 하얗기 때문에 '백로성'이라고도 부릅니다. 히메지 성은 단순히 아름답기만 한 것이 아니라 방어력이 아주 뛰어난 요새이기도 합니다. 성벽이 하얀 것은 적의 불 공격에 대비해 나무로 지어진 성을 보호하기 위해 회벽칠을 했기 때문입니다. 1601년 도쿠가와 이에야스가 성을 개축하기 시작하여 1609년까지 여러 차례에 걸쳐 증·개축했는데, 이는 적의 침입을 효과적으로 막기 위해서였습니다. 히메지 성에는 고도로 발달된 방어 시스템과 교묘한 보호 장치를 갖춘 83개의 전각이 있습니다. 대천수각과 소천수각은 복도로 이어져 있는데 이는 일본 성 중에서도 유일한 구조입니다. 또 일본에 있는 성 가운데 유일하게 옛 모습 그대로를 간직하고 있기도 합니다. 히메지 성은 일본 국보 특별사적으로 지정되어 있으며, 1993년 유네스코 세계 문화 유산으로 등재되었습니다.

천수각 천수각의 내부

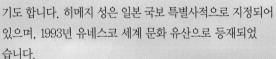

대천수각

소천수각

이쓰쿠시마 신사

히로시마 현에 속한 미야지마 섬은 센다이의 마쓰시마, 교토의 아마노하시다테와 함께 일본의 3대 명승지 중 하나입니다. 이쓰쿠시마 신사는 미야지마에 위치한 신사로, 신사가 있는 섬 전체가 1996년에 세계 문화 유산으로 등재되었습니다. 이쓰쿠시마 신사는 593년에 처음 만들었다고 전해지지만, 헤이안 시대 후기인 1168년에 오늘날과 같은 모습으로 바다 위에 세워졌다고 합니다. 헤이안 시대 귀족 건축 양식으로 지어진 이 신사는 바다에 잠기는 부분이 있기 때문에 부식되기도 하고 두 번의 화재를 겪기도 했지만, 전체적으로 헤이안 시대 당시의 양식을 충실하게 지켜 복구했기 때문에 헤이안 시대의 건축 양식을 알 수 있는 귀중한 유산입니다.

오도리이 높이 약 16m, 무게 약 60t이며 기둥의 일부는 바닷물에 잠겨 있다가 썰물 때 그 모습을 드러낸다.

본전과 오층탑 회랑으로 연결된 본전은 썰물 때는 바닥이 드러난다. 사진 중앙에 멀리 오층탑이 보인다.

시레토코

홋카이도 북쪽의 시레토코 반도는 오호츠크 해와 네무로 해협으로 둘러싸여 있는 지역으로 '시레토코'는 아이누 어로 '땅이 끝나는 곳'이라는 뜻입니다. 시레토코 반도는 해저 화산 활동으로 산맥이 융기해 생겨났는데, 울창한 원시림과 북극의 유빙을 볼 수 있으며 자연 생태계가 잘 보존되어 있습니다. 독특한 생태계 덕분에 곰, 사슴, 여우와 같은 육지 동물에서부터 연어, 고래, 숭어와 같은 해양 포유류, 철새류, 희귀 해조류, 멸종 위기에 처한 동물도 많이 분포해 있습니다. 이 지역을 보호하기 위해 국립 공원으로 지정해 개발을 제한하고 있으며 2005년에 유네스코 세계 자연 유산으로 등재되었습니다.

시레토코 반도

시레토코 5호

다양한 생물이 살고 있구나.

일본사 연표

일본사

기원전 1만 3천 년경
조몬 시대, 일본의 역사가 시작되다

기원전 3세기경
야요이 시대가 시작되고 벼농사를 짓다

조몬 시대 토우

금당 벽화

4세기경
야마토 정권, 일본 최초의 통일 정권을 이루다

607년
견수사가 파견되다

610년
고구려 승 담징이 호류사에 금당 벽화를 그리다

645년
을사의 변으로 소가 가문이 몰락하고 다이카 개신이 일

710년
헤이조쿄에서 나라 시대를 열

794년
헤이안쿄에서 헤이안 시대를

일본사

| 기원전 | 기원후 | 300년 | 600년 |

한국사

기원전 2333년
단군이 고조선을 세우다

단군 초상

기원전 57년
혁거세가 신라를 세우다

기원전 37년
주몽이 고구려를 세우다

기원전 18년
온조가 백제를 세우다

194년
고구려, 진대법을 실시하다

260년
백제, 16관등과 공복을 제정하다

372년
고구려에 불교가 들어오다

고구려 대표 유물, 무용총 벽화

384년
백제에 불교가 들어오다

494년
고구려가 부여를 정복하다

552년
백제가 일본에 불교를 전하다

612년
고구려, 수나라와 살수 대첩을 벌이다

660년
백제가 멸망하다

668년
고구려가 멸망하다

676년
신라가 삼국을 통일하다

698년
발해가 세워지다

751년
신라가 불국사를 세우다

경주 불국사

828년
장보고가 청해진을 설치하다

이때 일본으로 불교가 전해졌구나.

1854년
미일 화친 조약을 맺다

1868년
메이지 시대가 열리다(~1912)

1274년
몽골(원)이 1차 침입하다

1281년
몽골(원)이 2차 침입하다

1894년
청·일전쟁이 일어나다(~1895)

1338년
무로마치 막부가 성립하다

1590년
도요토미 히데요시가 일본을
통일하다

1904년
러·일전쟁이 일어나다(~1905)

10세기경
일본 문자인 '가나'를 사용하다

1912년
다이쇼 시대가 열리다(~1926)

1192년
최초 무사 정권인 가마쿠라 막부를
세우다

1600년
세키가하라 전투로 도요토미
히데요시가 권력을 장악하다

1926년
쇼와 시대가 열리다(~1989)

1941년
태평양 전쟁이 일어나다

가나로 쓰인 소설 《겐지모노가타리》

긴카쿠지

세키가하라 전투

1945년
히로시마와 나가사키에 원자 폭
탄이 떨어지다

1467년
전국 시대가 시작되다

1603년
에도 막부 성립하다

900년　　　　　**1200년**　　　　　**1500년**　　　　　**1800년**

918년
왕건이 고려를 세우다

1231년
몽골이 고려를 침입하다

1592년
임진왜란이 일어나다
한산도 대첩에서 왜군을 크게 물리치다

1860년
최제우가 동학을 창시하다

926년
발해가 요나라에 멸망하다

1236년
고려, 대장경을 조판하다

1876년
일본과 강화도 조약을 맺다

936년
고려가 후삼국을 통일하다

1894년
갑오개혁을 하다

1019년
귀주 대첩으로 거란의 침입을
물리치다

1905년
일본이 일방적으로 을사조약을
맺다

1102년
고려, 해동통보를 만들다

팔만대장경판

거북선

1910년
일본에 주권을 빼앗기다

1145년
김부식이 《삼국사기》를 편찬하다

1270년
삼별초가 몽골에 맞서 싸우다

1610년
허준이 《동의보감》을 완성하다

1945년
8·15 광복을 맞이하다

1170년
무신 정변이 일어나다

1392년
고려가 멸망하고 이성계가 조선을
건국하다

1627년
후금이 침입하여 정묘호란을
일으키다

1948년
대한민국 정부가 세워지다

1402년
신분을 나타내기 위한 호패법을
실시하다

1636년
청이 침입하여 병자호란을 일으키다

1446년
《훈민정음》을 반포하다

1708년
전국에 대동법을 실시하다

1485년
조선 시대 기본 법전인 《경국대전》을
완성하다

1725년
탕평책을 실시하다

🔱 찾아보기

| Photo CREDITS |

25p 호류사 ©Tomo.Yun (www.yunphoto.net/ko/) / 47p 긴카쿠지 ©Rowan.M.McDonald / 63p 가부키 ©tomoearts.org / 110p 고라쿠엔 ©Fjkelfeimvvn, 겐로쿠엔 ©poplinre / 115p 다도 ©mrhayata/ 120p 다다미 ©663highland / 134p 어시장 ©michaelvito / 138p 삿포로 유키 마쓰리 ©goodmami / 140p 야스쿠니 신사 ©Lover of Romance / 143p 히로사키 벚꽃 축제 ©Tezzca / 161p 오사카 성 ©Paul Miller, 가마쿠라 대불 ©Eckhard Pecher / 186p 하쓰모오데 ©spinachdip, 가가미모치 ©midorisyu, 가도마쓰 ©matsuyuki / 187p 히나 인형 단 ©matsuyuki, 시치고산 ©DrPleishner / 188p 히메지 성 ©Bernard Gagnon, 히메지 성 내부(상) ©Corpse Reviver, 히메지 성 내부(하) ©David McKelvey / 189p 이쓰쿠시마 신사 오도리이 ©Tomo.Yun (www.yunphoto.net/ko/), 이쓰쿠시마 신사 본전 ©scarletgreen, 시레토코 5호 ©jetalone / **앞표지** 야스쿠니 신사 ©Lover of Romance, 가부키 ©Onihide / **뒷표지** 긴카쿠지 © Rowan.M.McDonald, 삿포로 유키 마쓰리 ©goodmami, 가마쿠라 대불 ©Eckhard Pecher

그 외 유로크레온, 연합뉴스, 중앙일보, 예림당